O Modelo de Negócios Pessoal

Business Model
YOU

Business Model You – O Modelo de Negócios Pessoal Copyright © 2013 Starlin Alta Editora e Consultoria Eireli.
ISBN 978-85-7608-779-3

Translated From Original Business Model You. ISBN 978-1-118-15631-5 Copyright © 2012 by Tim Clark, Alexander Osterwalder, and Yves Pigneus. All rights reserved including the right of reproduction in whole or in part in any form. Portuguese language edition Copyright © 2013 by Starlin Alta Editora e Consultoria Eireli. This translation was published by arrangement with Jonh Wiley & Sons, Inc.

Todos os direitos reservados e protegidos por Lei. Nenhuma parte deste livro, sem autorização prévia por escrito da editora, poderá ser reproduzida ou transmitida.

Erratas: No site da editora relatamos, com a devida correção, qualquer erro encontrado em nossos livros.

Marcas Registradas: Todos os termos mencionados e reconhecidos como Marca Registrada e/ou Comercial são de responsabilidade de seus proprietários. A Editora informa não estar associada a nenhum produto e/ou fornecedor apresentado no livro.

Conteúdos em Websites: Os endereços de websites listados neste livro podem ser alterados ou desativados a qualquer momento pelos seus mantenedores, sendo assim, a Alta Books não controla ou se responsabiliza por qualquer conteúdo de terceiros."

Impresso no Brasil

Vedada, nos termos da lei, a reprodução total ou parcial deste livro

Produção Editorial
Editora Alta Books

Gerência Editorial
Anderson Vieira

Supervisão Editorial
Angel Cabeza

Supervisão de Qualidade Editorial
Sergio Luiz de Souza

Conselho de Qualidade Editorial
Adalberto Taconi
Anderson Vieira
Angel Cabeza
Pedro Sá
Sergio Luiz de Souza

Editoria de Negócios
Juliana de Paulo
Vinicius Damasceno

Equipe de Design
Bruna Serrano
Iuri Santos
Marco Aurélio Silva

Equipe Editorial
Ana Lucia Silva
Brenda Ramalho
Camila Werhahn
Cristiane Santos
Claudia Braga
Daniel Siqueira
Evellyn Pacheco
Jaciara Lima
Licia Oliveira
Marcelo Vieira
Milena Souza
Natália Gonçalves
Paulo Camerino
Rafael Surgek
Vanessa Gomes
Thiê Alves

Tradução
Kathleen Milzfort

Copidesque
Jaciara Lima

Revisão Gramatical
Juliana de Paulo
Maria da Conceição Ferreira

Revisão Técnica
Renato Nobre
Graduado em Engenharia de Produção, especialista em Inovação, Design Thinking, Modelos de Negócios e Tecnologia

Maria Augusta Orofino
Mestre em Gestão do Conhecimento e Especialista em Marketing e Administração Pública

Diagramação
Lúcia Quaresma

Marketing e Promoção
Daniel Schilklaper
marketing@altabooks.com.br

2ª Reimpressão, Julho 2015

Dados Internacionais de Catalogação na Publicação (CIP)

C592b Clark, Tim.
　　　　　Business model you : o modelo de negócios pessoal : o método de uma página para reinventar sua carreira / escrito por Tim Clark ; em colaboração com Alexander Osterwalder e Yves Pigneur ; projeto gráfico Alan Smith e Trish Papadakos ; assistente de produção Patrick van der Pijl. – Rio de Janeiro, RJ : Alta Books, 2013.
　　　　　264 p. : il. ; 17 cm.

　　　　　Tradução de: Business model you.
　　　　　ISBN 978-85-7608-779-3

1   　1. Profissões - Desenvolvimento. 2. Sucesso nos negócios. I. Osterwalder, Alexander. II. Pigneur, Yves. III. Smith, Alan. IV. Papadakos, Trish. V. Pijl, Patrick van der. VI. Título.

　　　　　　　　　　　　　　　　　　　　　　　　　　CDU 658.011.4
　　　　　　　　　　　　　　　　　　　　　　　　　　CDD 650.1

Índice para catálogo sistemático:
1. Sucesso nos negócios   658.011.4
(Bibliotecária responsável: Sabrina Leal Araujo – CRB 10/1507)

ALTA BOOKS
EDITORA

Rua Viúva Cláudio, 291 – Bairro Industrial do Jacaré
CEP: 20970-031 – Rio de Janeiro – Tels.: 21 3278-8069/8419 Fax: 21 3277-1253
www.altabooks.com.br – e-mail: altabooks@altabooks.com.br
www.facebook.com/altabooks – www.twitter.com/alta_books

O Modelo de Negócios Pessoal

Business Model YOU

O Método de
Uma Página
para Reinventar
Sua Carreira

ESCRITO POR
Tim Clark, em colaboração
com Alexander Osterwalder
e Yves Pigneur

PROJETO GRÁFICO
Alan Smith e Trish Papadakos

ASSISTENTE DE PRODUÇÃO
Patrick van der Pijl

COCRIADO POR
328 especialistas da vida
profissional de 43 países

ALTA BOOKS
EDITORA
Rio de Janeiro, 2013

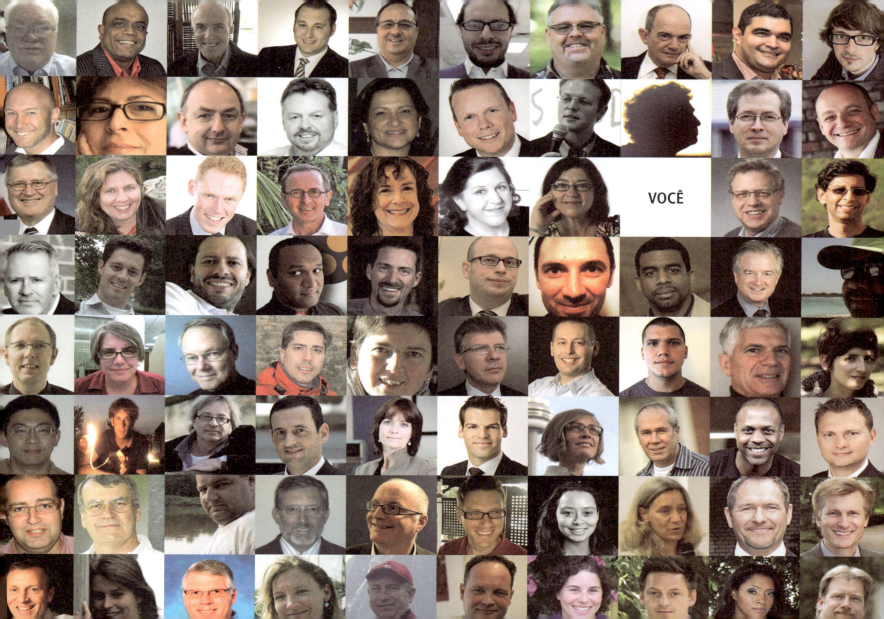

Cocriado por 328 especialistas da vida profissional...

Ao longo do livro, você verá referências aos "membros do Fórum" — os primeiros leitores do *Business Model You* que ajudaram na criação deste livro. Eles criticaram os esboços dos capítulos, ofereceram exemplos e insights e deram suporte na produção. Suas fotos aparecem nas primeiras páginas e seus nomes abaixo.[1]

Adie Shariff
Afroz Ali
AJ Shah
Alan Scott
Alan Smith
Alejandro Lembo
Alessandro De Sanctis
Alexander Osterwalder
Alfredo Osorio Asenjo
Ali Heathfield
Allan Moura Lima
Allen Miner
Amber Lewis
Andi Roberts
Andre Malzoni dos Santos Dias
Andrew E. Nixon
Andrew Warner
Anne McCrossan
Annemarie Ehren
Annette Mason
Ant Clay
Anthony Caldwell
Anthony Moore
Anton de Gier
Anton de Wet
Antonio Lucena de Faria
Beau Braund
Ben Carey

Ben White
Bernd Nurnberger
Bernie Maloney
Bertil Schaart
Björn Kijl
Blanca Vergara
Bob Fariss
Brenda Eichelberger
Brian Ruder
Brigitte Roujol
Bruce Hazen
Bruce MacVarish
Brunno Pinto Guedes Cruz
Bryan Aulick
Bryan Lubic
Camilla van den Boom
Carl B. Skompinski
Carl D'Agostino
Carles Esquerre Victori
Carlos Jose Perez Ferrer
Caroline Cleland
Cassiano Farani
Catharine MacIntosh
Cesar Picos
Charles W. Clark
Cheenu Srinivasan
Cheryl Rochford
Christian Labezin

Christian Schneider
Christine Thompson
Cindy Cooper
Claas Peter Fischer
Claire Fallon
Claudio D'Ipolitto
Császár Csaba
Daniel E. Huber
Daniel Pandza
Daniel Sonderegger
Danijel Brener
Danilo Tic
Darcy Walters-Robles
Dave Crowther
Dave Wille
David Devasahayam Edwin
David Hubbard
David Sluis
Deborah Burkholder
Deborah Mills-Scofield
Denise Taylor
Diane Mermigas
Dinesh Neelay
Diogo Carmo
Donald McMichael
Dora Luz González Bañales
Doug Gilbert
Doug Morwood

Doug Newdick
Dr. Jerry A. Smith
Dustin Lee Watson
Ed Voorhaar
Edgardo Vazquez
Eduardo Pedreño
Edwin Kruis
Eileen Bonner
Elie Besso
Elizabeth Topp
Eltje Huisman
Emmanuel A. Simon
Eric Anthony Spieth
Eric Theunis
Erik A. Leonavicius
Erik Kiaer
Erik Silden
Ernest Buise
Ernst Houdkamp
Eugen Rodel
Evert Jan van Hasselt
Fernando Saenz-Marrero
Filipe Schuur
Floris Kimman
Floris Venneman
Fran Moga
Francisco Barragan
Frank Penkala

Fred Coon
Fred Jautzus
Freek Talsma
Frenetta A. Tate
Frits Oukes
Gabriel Shalom
Gary Percy
Geert van Vlijmen
Gene Browne
Ginger Grant, PhD
Giorgio Casoni
Giorgio Pauletto
Giselle Della Mea
Greg Krauska
Greg Loudoun
Hank Byington
Hans Schriever
Hansrudolf Suter
Heiner Kaufmann
Hind
IJsbrand Kaper
Iñigo Irizar
Ioanna Matsouli
Ivo Frielink
Iwan Müller
Jacco Hiemstra
James C. Wylie
James Fyles

Jan Schmiedgen
Jason Mahoney
Javier Guevara
Jean Gasen
Jeffrey Krames
Jelle Bartels
Jenny L. Berger
Jeroen Bosman
Joeri de Vos
Joeri Lefévre
Johan Ploeg
Johann Gevers
Johannes Frühmann
John Bardos
John van Beek
John Wark
John L. Warren
John Ziniades
Jonas Ørts Holm
Jonathan L. York
Joost de Wit
Joost Fluitsma
Jordi Collell
Juerg H. Hilgarth-Weber
Justin Coetsee
Justin Junier
Kadena Tate
Kai Kollen

Kamal Hassan
Karin van Geelen
Karl Burrow
Katarzyna Krolak-Wyszynska
Katherine Smith
Keiko Onodera
Keith Hampson
Kevin Fallon
Khushboo Chabria
Klaes Rohde Ladeby
Kuntal Trivedi
Lacides R. Castillo
Lambert Becks
Laura Stepp
Laurence Kuek Swee Seng
Lauri Kutinlahti
Lawrence Traa
Lee Heathfield
Lenny van Onselen
Linda Bryant
Liviu Ionescu
Lukas Feuerstein
Luzi von Salis
Maaike Doyer
Maarten Bouwhuis
Maarten Koomans
Manuel Grassler
Marc McLaughlin

Marcelo Salim
Marcia Kapustin
Marco van Gelder
Margaritis Malioris
Maria Augusta Orofino
Marieke Post
Marieke Versteeg
Marijn Mulders
Marjo Nieuwenhuijse
Mark Attaway
Mark Eckhardt
Mark Fritz
Mark Lundy
Mark Nieuwenhuizen
Markus Heinen
Martin Howitt
Martin Kaczynski
Marvin Sutherland
Mats Pettersson
Matt Morscheck
Matt Stormont
Matthijs Bobeldijk
Megan Lacey
Melissa Cooley
Michael Dila
Michael Eales
Michael Estabrook
Michael Korver

Michael N. Wilkens
Michael S. Ruzzi
Michael Weiss
Mikael Fuhr
Mike Lachapelle
Miki Imazu
Mikko Mannila
Mohamad Khawaja
Natasja la Lau
Nathalie Ménard
Nathan Robert Mol
Nathaniel Spohn
Nei Grando
Niall Daly
Nick Niemann
Nicolas De Santis
Oliver Buecken
Olivier J. Vavasseur
Orhan Gazi Kandemir
Paola Valeri
Patrick Betz
Patrick Keenan
Patrick Quinn
Patrick Robinson
Patrick van der Pijl
Paul Hobcraft
Paul Merino
Paula Asinof

Pere Losantos
Peter Gaunt
Peter Quinlan
Peter Schreck
Peter Sims
Peter Squires
Petrick de Koning
Philip Galligan
Philippe De Smit
Philippe Rousselot
Pieter van den Berg
PK Rasam
Rahaf Harfoush
Rainer Bareiß
Ralf de Graaf
Ralf Meyer
Ravinder S. Sethi
Raymond Guyot
Rebecca Cristina C Bulhoes
Silva
Reiner Walter
Renato Nobre
Riaz Peter
Richard Bell
Richard Gadberry
Richard Narramore
Richard Schieferdecker
Rien Dijkstra

Robert van Kooten
Rocky Romero
Roland Wijnen
Rory O'Connor
Rudolf Greger
Sang-Yong Chung (Jay)
Sara Coene
Scott Doniger
Scott Gillespie
Scott J. Propp
Sean Harry
Sean S. Kohles, PhD
Sebastiaan Terlouw
Shaojian Cao
Simon Kavanagh
Simone Veldema
Sophie Brown
Steve Brooks
Steven Forth
Steven Moody
Stewart Marshall
Stuart Woodward
Sune Klok Gudiksen
Sylvain Montreuil
Symon Jagersma
Tania Hess
Tatiana Maya Valois
Tom Yardley

Thomas Drake
Thomas Klimek
Thomas Røhr Kristiansen
Thorsten Faltings
Tiffany Rashel
Till Kraemer
Tim Clark
Tim Kastelle
Toni Borsattino
Tony Fischer
Travis Cannon
Trish Papadakos
Tufan Karaca
Ugo Merkli
Uta Boesch
Veronica Torras
Vicki Lind
Vincent de Jong
Ying Zhao-Chau
Yves Claude Aubert
Yves Pigneur

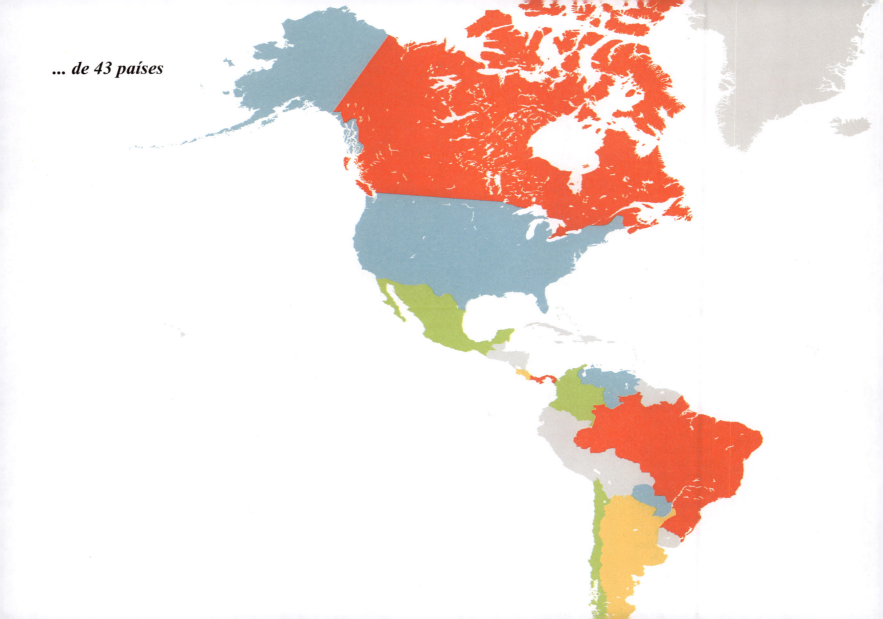

... de 43 países

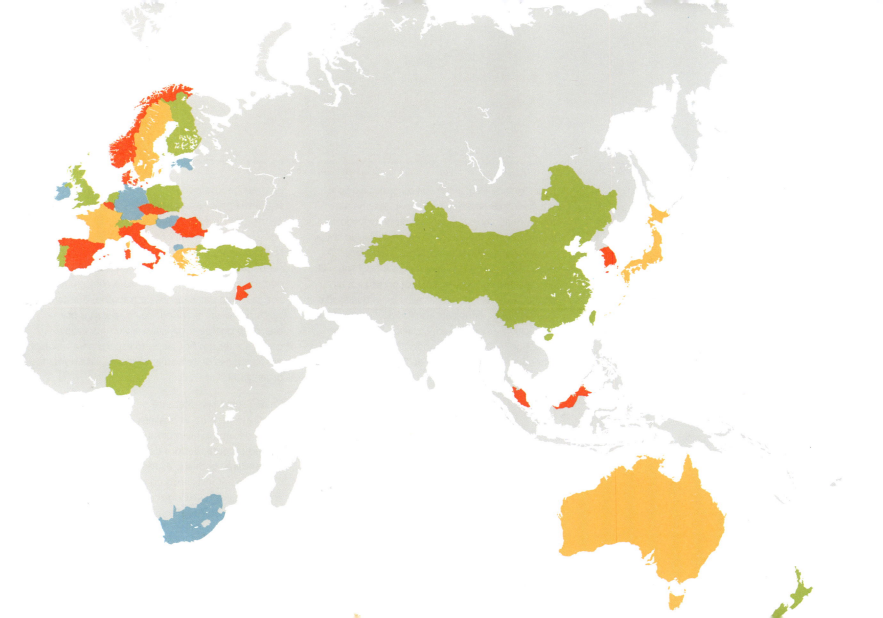

Apresentação à Edição Brasileira

É com grande alegria que apresentamos a edição brasileira do *Business Model You*. Este tema tem transformado nossas vidas, nos proporcionado o conhecimento de novos amigos, estabelecido novos marcos e ampliado o campo das possibilidades. A produção do conteúdo do *Business Model You – O Modelo de Negócios Pessoal* teve origem em uma comunidade via internet www.businessmodelyou.com que reuniu os principais autores do *Business Model Generation – Inovação em Modelos de Negócios* (Alta Books, 2011), Alexander Osterwalder e Yves Pigneur, e com a iniciativa de Tim Clark, gerou um produto direcionado para auxiliar pessoas a pensarem em suas vidas. A iniciativa reuniu 328 profissionais em 43 países.

Em tempos de mudanças frenéticas, as organizações têm se deparado com concorrências antes não imaginadas, decorrentes da inovação e da globalização. Diante desse quadro, as empresas passam a contratar pessoas dentro de projetos para trabalhar por resultados e não mais por atividade, e os profissionais tornam-se empresários de si próprios. Ao mesmo tempo, amplia-se a necessidade do cultivo de uma visão empreendedora por parte dos profissionais, quer seja a sua própria carreira quer seja a sua posição dentro do contexto organizacional. Passamos a nos engajar em empreendimentos originados por boas ideias, que geram bons projetos e que devem ser pautados pela ética para que consigam decolar dentro deste mercado complexo e competitivo. A antiga forma das relações de trabalho, que tantas vezes provocaram ansiedade nas pessoas por ser o eixo no qual se organizava a vida associativa começa a ter um fim, abrindo espaço para novas possibilidades de relacionamento da vida humana organizada.

Então, como ser diferente dentro do quadro que se apresenta para as pessoas que se agrupam em torno de um objetivo comum? Como despertar a visão empreendedora dos futuros líderes que comandarão esta sociedade em mudanças? Como resgatar o senso de ética em nossos empreendedores? Como educar os nossos jovens para essa visão desafiadora da vida?

Estas têm sido algumas das perguntas que nos têm motivado nos últimos anos, promovendo uma oportunidade ou espaço que estimule a autorreflexão, a formação do caráter, o cultivo de valores, o desenvolvimento do nível de consciência que formam cidadãos empreendedores e comprometidos.

Vemos alguns sentimentos predominarem entre muitos profissionais que necessitam de um apoio em sua carreira ou negócios: medo, dúvida ou descrença ocorrem eventualmente. E o que precisamos é despertar a confiança. Quando o padrão de comportamento vigente é o medo, a energia resultante é de competição e o relacionamento interpessoal é superficial, consequentemente, a evolução das pessoas acontece de forma isolada. Por sua vez, se o padrão for de confiança, a energia reinante será de colaboração e ocorre a coevolução entre as pessoas.

O mundo está passando por constantes mudanças, onde todos os valores estão sendo questionados. Por um lado, temos uma corrida pela cultura globalizada, o ser melhor, a missão de competir e de ganhar sempre. Do outro, temos a visão de uma aldeia humana, onde resgatamos nossos valores, importando realmente o brilho de cada um, a sua contribuição e prevalecendo a colaboração.

O *Business Model You – O Modelo de Negócios Pessoal* é um convite para que as pessoas desenvolvam uma nova percepção para o entendimento da vida em sociedade e o papel que lhes é atribuído. Não são receitas ou fórmulas de autoajuda, mas uma descoberta de processo de autorreflexão com resultados que vão além do que se pode prever. Por exemplo, o hidrogênio é inflamável. O oxigênio é respirável. Quando juntamos H e O, temos a água que é "bebível", correspondendo a uma propriedade nova, inesperada, inexplicável a partir de "inflamável" ou "respirável". Quando juntamos diferentes olhares, um novo olhar surgirá inesperado e inexplicável. Assim é a vida.

O *Business Model You – O Modelo de Negócios Pessoal* abre essa possibilidade de encontrar outras fórmulas para a vida das pessoas. Cruzar especialidades e conhecimentos e descobrir novos significados, de uma forma simples e direta, divertida e inteligente. Diferente de outros livros voltados à orientação vocacional ou de carreira, o *Business Model You – O Modelo de Negócios Pessoal* proporciona o pensamento visual e resgata a cor e o lúdico para as pessoas. Esperamos sinceramente que possa ser tão significativo para quem o ler, assim como foi para nós participar do seu processo de cocriação.

Desejamos a todos uma ótima leitura!

Maria Augusta Orofino e Renato Nobre

Editores do blog bmgenbrasil.com e cocriadores junto aos demais 328 profissionais do **Business Model You**.

Reinventores Reais:

Advogada Tributarista 126

Analista de Cadeia de Suprimentos 211

Assistente Executiva 73

Blogueiro 196

Buscador 145

Conselheiro Vocacional 126

Coordenadora de Reciclagem 224

Corredora de Cachorros 82

Defensor Verde 176

Designer Gráfico Freelancer 67

Editora 171

Empreendedor 137

Engenheiro 61

Esquiadora 97

Estudante de Doutorado 76

Estudante de Medicina 118

Executivo de Marketing 75

Fotógrafa de Casamentos 63

Gerente de Contas 69

Gerente de Finanças e Operações 233

Guru de Autoajuda 163

Historiador 134

Instrutor Técnico 143

Líder da Equipe 202

Locutor de Rádio 200

Marketeiro Online 236

Médica 59

Musicista 194

Professora 141

Profissional de TI 100

Profissional de Vendas 71

Programador de Computação 116

Técnico em Informática 239

Tradutora 65

1 Canvas

Aprendendo a usar a ferramenta-chave para descrever e analisar modelos de negócios organizacionais e pessoais.

Capítulo 1
Pensamento de Modelo de Negócios:
Adaptando-se a um Mundo em Mudança   19

Capítulo 2
O Canvas do Modelo de Negócios   25

Capítulo 3
O Canvas do Modelo de
Negócios Pessoal   53

2 Refletir

Reflita sua direção na vida e pense em como você quer alinhar suas aspirações pessoais e de carreira.

Capítulo 4
Quem É Você?   81

CAPÍTULO 5
Identifique o Seu Propósito de Carreira   133

Início! página 15

3 Revisar

Ajuste — ou reinvente — a sua vida profissional utilizando o Canvas e descobertas das seções anteriores.

CAPÍTULO 6
Prepare-se para se Reinventar   161

CAPÍTULO 7
Redesenhe o Seu Modelo de Negócios Pessoal   175

4 Agir

Aprenda a fazer tudo isso acontecer.

CAPÍTULO 8
Calcule Seu Valor de Negócios   209

CAPÍTULO 9
Teste Seu Modelo no Mercado   223

CAPÍTULO 10
E Agora?   243

5 Extras

Leia mais sobre as pessoas e os recursos por trás do *Business Model You*.

A Comunidade
Business Model You   *252*
Biografias dos Criadores   254
Notas   256

Seção 1 página 16

Canvas

Aprendendo a usar a ferramenta-chave para descrever e analisar modelos de negócios organizacionais e pessoais.

CAPÍTULO 1
Pensamento de Modelo de Negócios: Adaptando-se a um Mundo em Mudança

Por que o Modelo de Negócios É a Melhor Forma de Você se Adaptar a um Mundo em Mudança

Vou arriscar um palpite: você está lendo este livro pois tem pensado em mudar sua carreira.

Você está em boa companhia. De acordo com uma pesquisa, cinco entre seis adultos nos EUA estão considerando mudar de emprego.[2] E de acordo com os membros do nosso fórum (que representam 43 países), o mesmo acontece ao redor do mundo.

Muitos de nós, no entanto, não possuem uma forma estruturada de pensar sobre o complexo e — sejamos honestos — confuso assunto de mudança de carreira. Precisamos de uma abordagem simples, poderosa — que esteja em sintonia com o campo de trabalho moderno e com nossas necessidades pessoais.

Aí que entra o modelo de negócios: um meio excelente para descrever, analisar e reinventar uma carreira.

Sem dúvidas, você já deve ter ouvido antes o termo *modelo de negócios*. Mas o que é isto exatamente?

No nível econômico mais básico, um modelo de negócios é **a lógica pela qual uma organização sustenta a si mesma financeiramente.**[3]

Como o termo sugere, geralmente descreve negócios. Nossa abordagem, no entanto, pede que você considere a si mesmo como um negócio de uma só pessoa. Então, ajuda você a definir e modificar seu "modelo de negócios pessoal" — o modo como você aplica seus pontos fortes e talentos para crescer pessoal e profissionalmente.

Tempos e Modelos de Negócio em Mudança

Muito da turbulência do mercado de trabalho de hoje é causado por fatores que vão além do nosso controle pessoal: recessão, mudanças demográficas drásticas, intensificação da competitividade global, problemas ambientais, e assim por diante.

Estas mudanças também estão além do controle da maioria das empresas, mas afetam profundamente os modelos de negócios utilizados por estas.

Por não poderem mudar o *ambiente* em que operam, as empresas devem mudar seus *modelos de negócios* (e, algumas vezes, criar novos) para continuar competitivas.

E como resultado, estes novos modelos de negócios se desfazem e causam a mudança. Isto cria novas oportunidades para alguns trabalhadores e desemprego para outros.

Consideremos alguns exemplos.

Lembram-se da Blockbuster Video? Declarou falência após Netflix e Redbox mostrarem um melhor serviço em entrega de filmes e jogos aos Clientes através dos correios, internet e máquinas de autosserviço.

A emergência de um novo modelo de negócios pode afetar as empresas em outras indústrias também.

Por exemplo, o Netflix tem mais de 20 milhões de Clientes que, graças à internet, podem assistir aos programas de TV nos computadores ou consoles de videogame a qualquer hora do dia ou da noite — e pulando os comerciais. Imaginem o que isto significa para uma indústria de emissoras de TV fundada por anunciantes que há décadas compram tempo de programação sob a promessa de que: (1) os anúncios serão inseridos na programação exibida para grandes públicos em certos dias e horários, e (2) as audiências televisivas não podem eliminar os anúncios.

A internet também transformou os modelos de negócios em outros setores, como música, propaganda, compras e editorial (sem a internet, este livro nunca teria sido possível produzir).

Empresas de recrutamento executivo, por exemplo, tradicionalmente dependem de empregados com altas habilidades em tempo integral que fazem vários telefonemas e voam

Novos modelos de negócios estão alterando os locais de trabalho em todo o lugar, em setores lucrativos e não lucrativos de forma semelhante. As empresas devem constantemente avaliar e alterar seus modelos de negócios para sobreviverem.

pelo país para encontrar candidatos potenciais em almoços de negócios. Hoje em dia, a indústria de recrutamento está consideravelmente diferente. Em muitos casos, trabalhadores de meio período que controlam sites de casa, substituíram empregados em período integral.

As Pessoas Também Devem Mudar

Não estamos dizendo que as pessoas são iguais às empresas. Mas aqui temos um paralelo importante: você, como muitas empresas, é afetado pelos fatores ambientais e econômicos que vão além do seu controle.

Se este for o caso, como você pode manter o sucesso e satisfação? Você deve identificar como você funciona — e então adaptar sua abordagem para que se encaixe aos ambientes em mutação.

As habilidades que aprenderá com *Business Model You — O Modelo de Negócios Pessoal*, como descrever e pensar claramente sobre modelos de negócios, darão a você o poder de fazer isto.

Ser capaz de **compreender e descrever o modelo de negócios da sua organização** pode ajudar a compreender como sua organização pode ser bem-sucedida, especialmente em uma época economicamente turbulenta. Os empregados que se importam com o sucesso de uma empresa como um todo (e que sabem como atingi-lo) são os funcionários mais valiosos — e candidatos para melhores posições.

Uma vez que perceber que um modelo de negócios se aplica aonde você trabalha no momento — e onde você se encaixa dentro deste modelo — você será capaz de **usar o mesmo modo poderoso de pensar para definir, melhorar e ampliar sua própria carreira.** Começando no Capítulo 3, você definirá seu modelo de negócios pessoal. E na medida em que sua carreira progredir, você será capaz de usar as estratégias do *Business Model You — O Modelo de Negócios Pessoal* para ajustar seu modelo e adaptar-se aos tempos em mudanças.

A leitura do *Business Model You — O Modelo de Negócios Pessoal* confere a você uma vantagem competitiva, pois, enquanto muitos funcionários definem e registram *práticas* organizacionais de negócio, poucos definem ou registram, formalmente, *modelos* organizacionais de negócios. E, ainda menos, aplicam o poder do pensamento do modelo de negócios em suas próprias carreiras.

CAPÍTULO 2
O Canvas do Modelo de Negócios

Seção 1 página 26

Definimos o "modelo de negócios" como *a lógica pela qual uma empresa sustenta a si mesma financeiramente. Em linhas gerais, é a lógica pela qual uma empresa ganha o sustento.*

Você pode pensar que um modelo de negócios é uma planta descrevendo como uma organização opera.

Assim como um arquiteto prepara plantas para guiar a construção de um prédio, um empreendedor cria um modelo de negócios para guiar a criação de um empreendimento. Um administrador também pode esboçar um modelo de negócio para ajudar a visualizar como uma organização já existente opera.

Para começar a compreender um modelo de negócio existente, faça duas perguntas:

1. **Quem é seu Cliente?**
2. **Qual tipo de serviço o Cliente precisa que seja prestado a ele?**

Para esclarecer a ideia, vejamos três empresas.

Primeira: Pensem sobre Jiffy Lube®, um drive-in, um serviço rápido de troca de óleo baseado nos EUA. Poucos proprietários de carros estão interessados em fazer a troca de óleo do motor de seus próprios carros. A maioria não tem conhecimento nem ferramentas — e preferem evitar a preparação e bagunça em potencial do trabalho sujo (além de lidar com a reciclagem do óleo usado). Por $25 ou $30, a Jiffy Lube fornece serviço profissional que faz justamente isso.

A seguir, consideremos Ning. Ning permite que as pessoas criem e gerenciem por um baixo custo redes sociais customizadas. Poucas empresas (ou indivíduos) possuem o dinheiro ou a experiência para construir, gerenciar e operar uma rede social que oferece funcionalidades similares às do Facebook. E é aí que entra a Ning, que fornece um substituto simples, acessível: um template de rede social, modificável em vários níveis.

E, por fim, temos a Vesta, uma empresa que completa a compra eletrônica em nome de empresas que servem a milhares de Clientes todos os dias. Lidar com altos volumes de transações é complexo e exige uma segurança robusta e de ponta, além de medidas antifraude — duas coisas que poucas empresas podem pagar para desenvolver e manter internamente.

Então, o que estas três empresas têm em comum?

Todas recebem para ajudar os Clientes a realizar o serviço.

- A Jiffy Lube realiza tarefas de manutenção cruciais (enquanto mantém as garagens limpas e as roupas também) para os proprietários de carros.
- Os Clientes da Ning são pessoas que precisam promover uma causa; a empresa os ajuda a construir uma comunidade para fazê-lo — a um baixo custo e sem a necessidade da contratação de um especialista técnico.
- A Vesta ajuda as empresas a focarem em especialidades não relacionadas ao recebimento de pagamentos.

Parece simples, certo?

Bem, diferente destes três exemplos, definir "Clientes" e "serviços" em setores como educação, saúde, governo, finanças, tecnologia e justiça pode ser complicado.

Grande parte do pensamento do modelo de negócios é ligada a ajudar você a identificar e descrever tanto Clientes como serviços. Especificamente, você vai aprender como pode ajudar Clientes a realizar os serviços que precisam. E, ao fazer isto, você descobrirá como ganhar dinheiro e ter mais satisfação proveniente de seu trabalho.

Cada Organização Possui um Modelo de Negócios

Já que um modelo de negócios é a lógica pela qual uma empresa se sustenta financeiramente, isto significa que apenas organizações com fins lucrativos possuem modelos de negócios?

Não.

Toda empresa possui um modelo de negócios.

Isto é verdade pelo fato de que toda empresa moderna, seja com ou sem fins lucrativos, governamental, ou outro tipo, precisa de dinheiro para manter os serviços.

Por exemplo, imagine que trabalha para a New York Road Runners (NYRR), uma organização sem fins lucrativos que promove saúde e bem-estar organizando corridas, aulas, clínicas e acampamentos. Ainda que seja um grupo sem fins lucrativos, precisa:

- Pagar salários dos funcionários
- Pagar licenças, contas, manutenção e outras contas
- Comprar suprimentos para eventos como sistemas de contagem de tempo, números de identificação, bebidas, além de camisetas e medalhas para suas corridas
- Construir um fundo de reserva para serviços em expansão no futuro

A principal motivação da NYRR não é o ganho financeiro. Ao invés disso, sua meta é servir à comunidade de "Clientes" que desejam ficar em forma. Contudo, mesmo uma organização sem fins lucrativos precisa de dinheiro para manter os serviços.

Assim, como qualquer outra empresa, a NYRR *precisa ser paga por ajudar os Clientes a realizarem os serviços.*

Vamos fazer nossas duas perguntas do modelo de negócios em relação à NYRR:

Quem é seu cliente?

Os principais Clientes da NYRR são corredores e outros membros da comunidade que desejam apoiar e ajudar na busca para manter e melhorar a forma física.

Eles incluem tanto membros anuais — pessoas que pagam para ser parte do grupo e receber certos benefícios como resultado — e pessoas que

Seção 1 página **28**

não são membros anuais, mas que pagam para participar de corridas específicas e outros eventos.

Qual tipo de serviço o Cliente deseja que seja realizado?

O serviço principal da NYRR é realizar eventos relacionados à corrida em Nova York.

A NYRR é, portanto, um grupo sem fins lucrativos *cujos Clientes pagam por seus serviços.*

Mas e as organizações que fornecem serviços gratuitos aos Clientes? A ideia de modelo de negócios também se aplica a elas?

Sim!

Imagine um grupo sem fins lucrativos que chamaremos de OrphanWatch, uma organização de caridade que abriga, alimenta e ensina crianças órfãs. Como a NYRR, a OrphanWatch precisa de dinheiro para manter os serviços. Por exemplo, deve:

- Comprar comida, roupas, livros e outros itens de necessidade para as crianças sob seus cuidados
- Pagar salários dos funcionários
- Alugar instalações de dormitório/escola, pagar contas, manutenção e outras despesas
- Construir um fundo de reserva para serviços em expansão no futuro etc.

Voltemos novamente às nossas perguntas do modelo de negócios.

No caso da Orphan Watch, as respostas são um pouco diferentes.

Quem é seu cliente?

Eles possuem dois Segmentos de Clientes:

(1) crianças, que são na verdade beneficiárias dos serviços, e (2) doadores e outros auxiliares, que ao contribuírem com dinheiro e a compra de itens feitos pelas crianças, permitem que a instituição realize seu trabalho.

Qual tipo de serviço o Cliente deseja que seja realizado?

OrphanWatch tem dois serviços: (1) cuidar das crianças e (2) fornecer às instituições de caridade maiores e a doadores individuais meios de preencher seus deveres e/ou aspirações filantrópicos. Em retorno por estas oportunidades, tais Clientes "pagam" à OrphanWatch na forma de presentes, assinaturas e compra de produtos.

Aqui temos um ponto-chave: *qualquer organização que fornecer um serviço gratuito para um grupo de Clientes deve também ter outro conjunto de Clientes que pagam pelos não pagantes.*

Então você pode ver que nossas duas perguntas de modelo de negócios se aplicam à OrphanWatch — assim como se aplicam para qualquer empresa com fins lucrativos.

A Verdade Nua e Crua

O que aconteceria à OrphanWatch se parasse de receber doações e outros tipos de auxílio?

Seria incapaz de continuar com sua missão. Mesmo que todos seus funcionários concordassem em trabalhar sem receber nada, a organização seria incapaz de cobrir outros custos essenciais. Sua única opção seria encerrar suas atividades.

Quase todas as empresas operando na economia moderna (incluindo governos!) encaram uma verdade nua e crua: *quando o dinheiro acaba, o jogo acaba.*

Empresas diferentes possuem propósitos diferentes. Mas para sobreviver e prosperar, todas devem fazer uso da lógica de ganhar o sustento. Todos devem possuir um modelo de negócios viável.

A definição de "viável" é simples: *mais dinheiro deve entrar do que sair,* ou, ao menos, *tanto dinheiro deve entrar quanto sair.*

Você aprendeu o básico sobre modelos de negócios — como Clientes e dinheiro sustentam as empresas. Mas modelos de negócios envolvem mais do que apenas dinheiro e Clientes. O Canvas do Modelo de Negócios, que descreve como nove componentes de um modelo de negócios se encaixam, é uma técnica poderosa para criar esquemas de como as organizações funcionam.

Seção 1   página 30

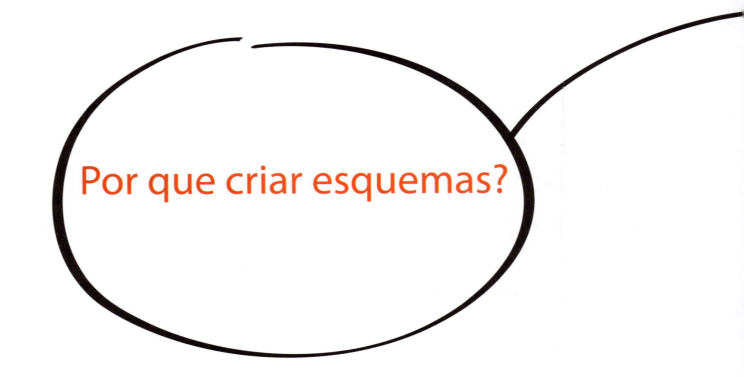

Por que criar esquemas?

página 31 **Canvas**

Compreender como as organizações funcionam não é tarefa simples. Grandes ou complexas organizações possuem tantos componentes que é complicado capturar o todo sem visualizar a empresa.

As imagens ajudam a transformar suposições não verbalizadas em informações explícitas. E informações explícitas nos ajudam a pensar e comunicar mais efetivamente.

O Canvas do Modelo de Negócios confere um atalho visual para simplificar organizações complexas.

Seção 1 página 32

Os Nove Componentes

A lógica de como as organizações fornecem Valores aos Clientes

Clientes*

Uma organização serve Clientes...

Proposta de Valor*

... resolvendo os problemas dos Clientes ou satisfazendo suas necessidades.

Canais

Organizações comunicam e fornecem Valores de modos diferentes...

Relacionamento com Clientes

... assim como estabelecem e mantém diferentes tipos de relacionamentos com os Clientes.

página 33 **Canvas**

Fontes de Receita*	*Recursos Principais*	*Atividades--Chave*	*Parcerias Principais*	*Estrutura de Custos**
Dinheiro que entra quando os Clientes pagam pela Proposta de Valor.	Estes são os bens necessários para criar e/ou fornecer os elementos previamente descritos.	Estas são as reais tarefas e ações necessárias para criar e fornecer os elementos previamente descritos.	Algumas atividades são terceirizadas, e alguns recursos são adquiridos fora da organização.	Estas são as despesas decorrentes da obtenção de Recursos Principais, realização de Atividades--Chave, e do trabalho com Parcerias Principais.

**Business Model Generation: Inovação em Modelos de Negócios* (Alta Books) define estes componentes como Segmentos de Clientes, Proposição de Valores, Fontes de Receita e Estrutura de Custos, respectivamente.

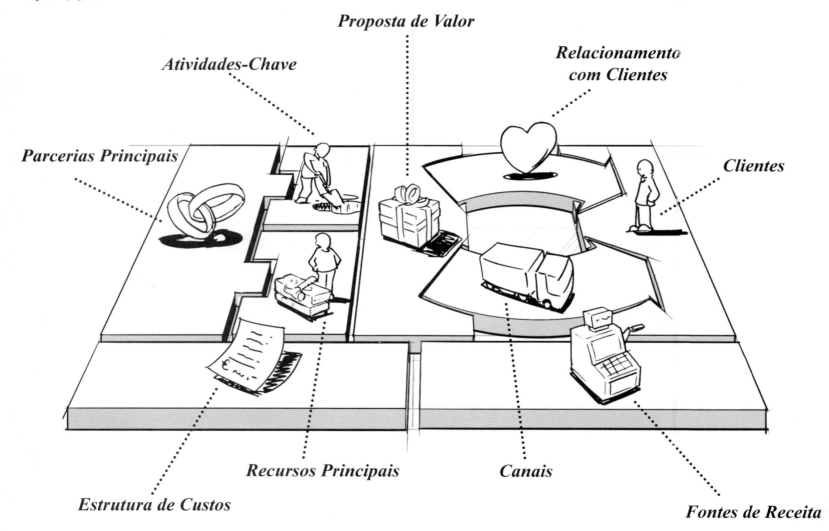

Clientes

Clientes são a razão pela qual uma empresa existe.
Nenhuma empresa sobrevive por muito tempo sem Clientes pagantes.

Todas servem a um ou mais grupos distintos de Clientes.

As organizações que servem a outras organizações são conhecidas como empresas business-to-business (B2B). Organizações que servem a Clientes são conhecidas como empresas business-to-consumer (B2C).

Algumas organizações servem tanto a Clientes pagantes quanto a não pagantes. A maioria dos usuários do Facebook, por exemplo, não paga nada pelos serviços utilizados. Ainda, sem as centenas de milhões de Clientes não pagantes, o Facebook não teria nada para vender aos anunciantes ou pesquisadores de mercado. Portanto, os Clientes não pagantes podem ser essenciais para o sucesso do modelo de negócios.

Coisas para lembrar sobre Clientes:
- Clientes diferentes requerem diferentes Valores, Canais ou Relacionamentos
- Alguns Clientes pagam, outros não
- As organizações frequentemente ganham muito mais de um grupo de Clientes do que de outro

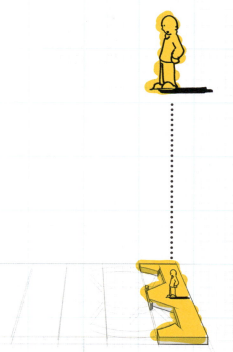

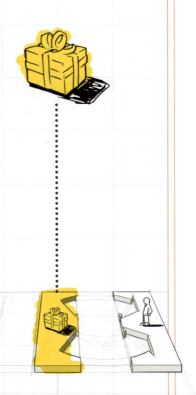

Proposta de Valor

Pense na Proposta de Valor como os benefícios do Cliente criados por "aglutinações" de serviços ou produtos. A habilidade de fornecer um Valor excepcional é a razão-chave pela qual os Clientes selecionam uma organização em detrimento de outra.

Aqui temos exemplos de elementos diferentes da Proposta de Valor:

Conveniência

Economizar tempo ou problemas para os Clientes é um benefício importante. Nos EUA, por exemplo, as máquinas da Redbox, que oferecem serviços de aluguel de filmes e jogos, frequentemente estão em locais como supermercados. Para muitos usuários, a Redbox fornece o método mais conveniente de retirada/devolução do que qualquer outro serviço similar.

Preço

Os Clientes podem frequentemente escolher um serviço pelo fato de que os faz economizar dinheiro. O Skype, por exemplo, fornece serviços de chamada por voz internacional a preços melhores do que empresas de telefonia.

Design

Muitos Clientes estão dispostos a pagar por produtos e/ou design de produtos excelentes. Ainda que mais caro do que os competidores, o iPod da Apple tem um lindo design, tanto como dispositivo, como sendo parte de um serviço integrado de download/serviço de tocador de músicas.

Marca ou status

Algumas empresas fornecem Valor ao ajudar seus Clientes a se sentirem distintos ou prestigiosos. Uma ilustração: as pessoas ao redor do mundo estão dispostas a pagar preços exorbitantes por itens de couro e de vestuário da Louis Vuitton. Isto acontece porque a Louis Vuitton modelou sua marca para significar bom gosto, riqueza e o apreço pela qualidade.

Redução de custo

As empresas podem ajudar a outras empresas a reduzir os custos e, como resultado, ampliar os ganhos. Por exemplo, ao invés de comprar e continuamente manter seus próprios servidores de computadores e avançada infraestrutura de telecomunicações, mais empresas estão descobrindo que custa menos usar servidores remotos terceirizados (serviços em nuvens) acessíveis via internet.

Redução de risco

Clientes de Negócios também estão ansiosos para reduzir o risco, particularmente os relacionados ao investimento. Empresas como a Gartner, por exemplo, vendem serviços de pesquisa e aconselhamento para auxiliar outras companhias a prever os potenciais benefícios em gastar mais dinheiro em tecnologia para o local de trabalho.

Seção 1   página 38

Canais

Os Canais promovem cinco funções:

1. Criar consciência de serviços ou produtos
2. Ajudar Clientes em potencial a *avaliar* produtos ou serviços
3. Permitir que os Clientes *comprem*
4. *Entregar* Valores aos Clientes
5. *Garantir* a *satisfação* pós-compra por meio de suporte

Canais típicos incluem:

- Pessoalmente ou por telefone
- In loco ou em lojas
- Entrega física
- A Internet (mídias sociais, blogs, e-mails etc.)
- Mídia tradicional (televisão, rádio, jornais etc.)

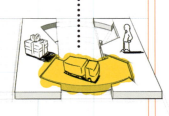

Relacionamento com os Clientes

As empresas devem definir claramente o tipo de relacionamento que os Clientes preferem. Pessoal? Automatizado ou self-service? Transação única ou assinatura?

E além disso, as empresas devem esclarecer o propósito principal dos Relacionamentos com Clientes. É para adquirir Novos Clientes? Manter os Clientes já existentes? Ou obter mais Fontes de Receita dos Clientes já existentes?

Este propósito pode mudar ao longo do tempo. Por exemplo, no início das comunicações móveis, as empresas de telefonia celular focavam em conseguir novos Clientes, usando táticas agressivas como oferecer telefones gratuitos. Quando o mercado amadureceu, seu foco mudou para a manutenção dos Clientes e aumento das Fontes de Receita média por Cliente.

Aqui temos outro elemento a considerar: mais empresas (como Amazon.com, YouTube, e Business Model You, LLC) estão criando produtos ou serviços em parceria com os Clientes.

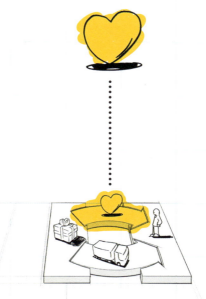

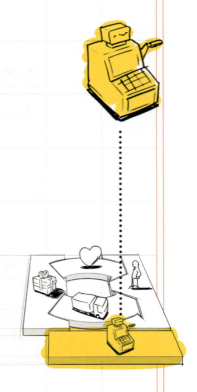

Fontes de Receita

As organizações devem: (1) descobrir qual Valor que os Clientes realmente estão dispostos a pagar, e (2) aceitar pagamentos do modo que os Clientes preferirem.

Há duas categorias de Fontes de Receita: (1) pagamentos de Clientes de uma única transação, e (2) pagamentos recorrentes por produtos, serviços, ou manutenção e suporte pós-venda. Aqui temos alguns tipos específicos:

Venda direta
Significa que o Cliente compra os direitos de posse de um produto físico. As montadoras, como a Toyota, por exemplo, vendem carros que Clientes são livres para dirigir, revender, desmontar, ou destruir.

Concessão ou aluguel
Concessão significa comprar temporariamente o direito exclusivo de usar uma coisa por um período fixo de tempo, como um quarto de hotel, apartamento, ou carro alugado. Aqueles que alugam ou utilizam a concessão evitam pagar os custos completos de posse, enquanto os donos aproveitam as Fontes de Receita recorrentes.

página **41** **Canvas**

Taxa de serviço ou uso

As empresas de telefonia cobram dos usuários pelo minuto, e os serviços de entrega cobram dos Clientes pelo pacote. Médicos, advogados e outros servidores cobram pela hora ou pelo procedimento. Vendedores de propaganda como Google cobram pelo número de cliques ou exposição. Serviços de segurança são pagos para aguardar e agir quando um alarme soa.

Taxas de assinatura

Revistas, academias e fornecedores de jogos online vendem acesso contínuo a serviços na forma de taxas de assinatura.

Licenciamento

Portadores de propriedade intelectual podem ceder aos Clientes permissão para usar sua propriedade protegida em troca de taxas de licenciamento.

Taxas de corretagem

Imobiliárias como a Century 21 ganham taxas de corretagem ao fazerem a ponte entre compradores e vendedores, enquanto serviços de busca de empregos como Monster.com ganham taxas ao ligarem pessoas procurando empregos com os empregadores.

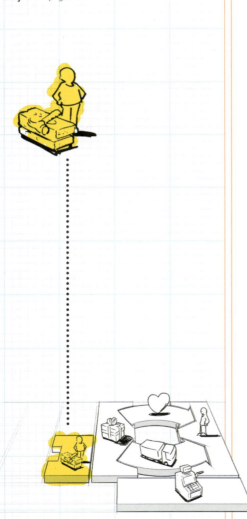

Recursos Principais

Há quatro tipos:

Humano
Todas as empresas precisam de pessoas, mas alguns modelos de negócio dependem, de forma especialmente intensa, de recursos humanos. A Mayo Clinic, por exemplo, requer médicos e pesquisadores com amplo conhecimento em medicina. De modo similar, fabricantes farmacêuticos como a Roche precisam de cientistas de primeira qualidade e vendedores habilidosos.

Físico
Terrenos, prédios, máquinas e veículos são componentes cruciais de muitos modelos de negócios. Amazon.com, por exemplo, requer grandes armazéns com enormes transportadoras e outros equipamentos caros e especializados.

Intelectual
Recursos intelectuais incluem intangíveis como marcas, métodos e sistemas desenvolvidos pela empresa, software e patentes de direitos autorais. A Jiffy Lube® possui uma marca forte — assim como seus próprios métodos para servir aos Clientes — que licencia para franquias. A empresa de design de chipsets de telecomunicações Qualcomm construiu seu modelo de negócios em torno de patentes de design que ganham taxas de licenciamento.

Financeiro
Recursos financeiros incluem dinheiro, linhas de crédito ou garantias financeiras. A fabricante de equipamentos de telecomunicação Ericsson algumas vezes pede emprestado de bancos, então usa procedimentos para ajudar Clientes a financiar compras de equipamentos garantindo que pedidos sejam feitos com a Ericsson ao invés de com os concorrentes.

Atividades-Chave

São as atividades mais importantes que uma empresa deve realizar para que o modelo de negócios funcione.

Fazer isto inclui a fabricação de produtos, design/desenvolvimento/entrega de serviços e resolução de problemas. Para companhias de serviço, "fazer" pode significar tanto a preparação para o futuro quanto o fornecimento efetivo dos serviços. Isto acontece pois os serviços, como cortar o cabelo, são "consumidos" quando são fornecidos.

Vender significa promover, anunciar, ou educar potenciais Clientes sobre serviços ou Valor de produtos. Tarefas específicas podem incluir realizar chamadas de vendas, planejar ou executar propagandas ou promoções e educar ou treinar.

Dar suporte ajuda toda a organização a funcionar corretamente mas não é diretamente associado com a fabricação ou venda. Exemplos incluem contratação de pessoal e controle de finanças ou outros serviços administrativos.

Tendemos a pensar no nosso trabalho em termos de tarefas — Atividades-Chave — ao invés de pensar em termos de *Valores* que são fornecidos por estas atividades. Mas quando os Clientes escolhem uma empresa, estão mais interessados no *Valor* que receberão do que na tarefa em si.

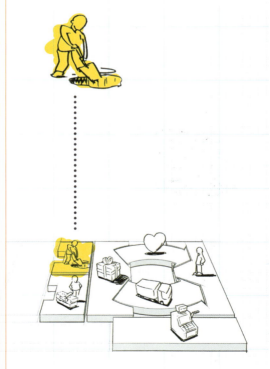

Seção 1 página 44

Parcerias Principais

Este network ajuda a fazer um modelo de negócios eficaz.

Seria ilógico que uma organização possuísse todos os recursos ou realizasse toda a atividade sozinha. Algumas atividades exigem equipamentos caros ou especialização excepcional. É por isso que a maioria das organizações terceiriza a preparação da folha de pagamento com empresas como a Paychex, que é especialista nesse tipo de trabalho.

Parcerias, no entanto, podem ir além das relações de "fazer" e "comprar". Uma empresa de aluguel de roupas de casamento, um florista e um fotógrafo, por exemplo, podem compartilhar sua lista de Clientes entre si, sem nenhum custo para colaborar em atividades de promoção que beneficiem as três partes.

Estrutura de Custos

A aquisição de Recursos Principais, realização de Atividades-Chave e o trabalho com Parcerias Principais incorrem em Estrutura de Custos.

O dinheiro é necessário para criar e entregar Valor, manter os Relacionamentos com Clientes e gerar Fontes de Receita. A Estrutura de Custos pode ser mais ou menos calculada após a definição de Recursos Principais, Atividades-Chave e Parcerias Principais.

A "escalabilidade" é um importante conceito relacionado com a Estrutura de Custo e com a eficácia global de um modelo de negócios. Ser escalável significa que uma empresa pode lidar efetivamente com grande aumentos de demanda — tem a capacidade de atender com eficiência a muito mais Clientes sem esforçar ou sacrificar a qualidade. Em termos financeiros, ser escalável significa que o custo extra de servir a cada Cliente adicional cai ao invés de permanecer em uma constante ou aumentar.

Uma empresa de software é um bom exemplo de um negócio escalável. Uma vez desenvolvido, um software pode ser reproduzido e distribuído a baixo custo. A despesa de servir a um Cliente adicional que faz download de um programa, por exemplo, é essencialmente zero.

Em contraste, as empresas de consultoria e de serviços pessoais raramente são escaláveis. Isso acontece porque cada hora gasta servindo a um Cliente adicional requer outra hora de prática — o custo extra de servir a cada cliente adicional mantém-se constante. Do ponto de vista financeiro, portanto, empresas escaláveis são mais atraentes do que as não escaláveis.

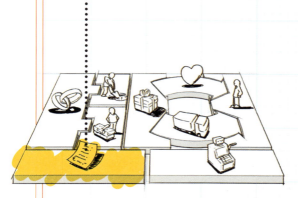

Ilustrações de JAM

Seção 1 página 46

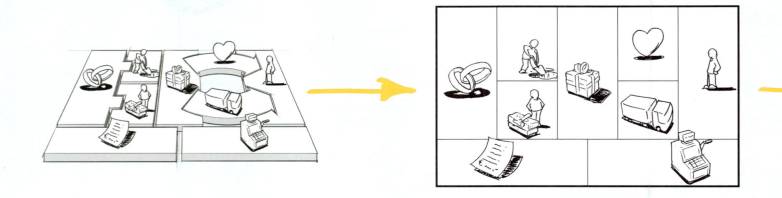

Juntos, os nove componentes formam

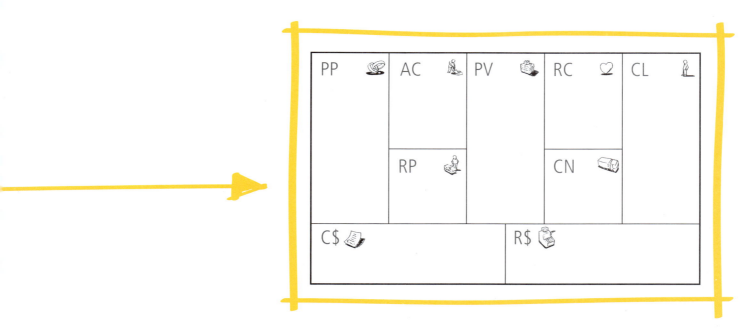

uma ferramenta útil: o Canvas do Modelo de Negócios.

Seção 1 página 48

Agora É a Sua Vez

DESENHE OU IMPRIMA UM QUADRO

APLIQUE LEMBRETES AUTOADESIVOS

DESCREVA OS COMPONENTES DA SUA EMPRESA

página **49**   **Canvas**

Modelo de Negócios da Minha Empresa

Parcerias Principais	*Atividades-Chave*	*Proposta de Valor*	*Relacionamento com Clientes*	*Clientes*
	Recursos Principais		*Canais*	

Estrutura de Custos	*Fontes de Receita*

Para fazer o download do Canvas de Modelo de Negócios, acesse **BusinessModelGeneration.com/canvas (conteúdo em inglês)**. Se preferir, faça o download pelo site www.altabooks.com.br (procure pelo nome do livro).

Seção 1 página 50

Modelo de Negócios do Craigslist

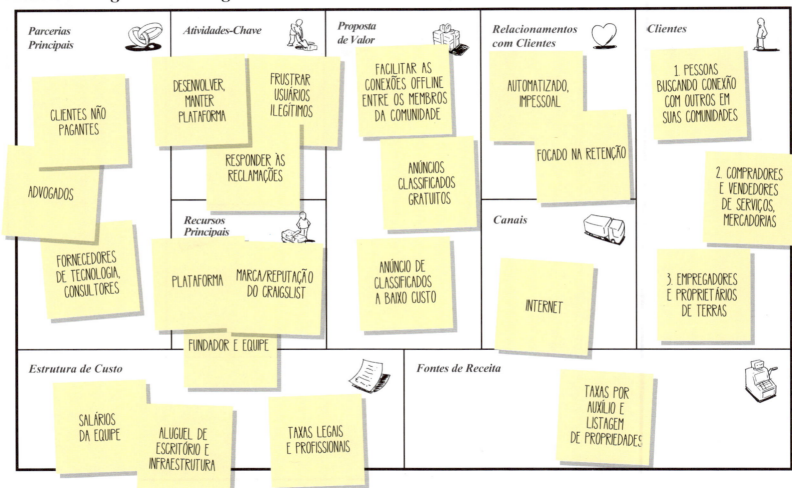

O Craigslist oferece anúncios classificados para ajudar pessoas a encontrarem empregos e moradias, conectar-se com membros da comunidade, assim como comprar, vender, ou trocar serviços e mercadorias. A empresa possui 700 sites em 70 países e posta mais de 1 milhão de anúncios de empregos a cada mês. Apesar da sua cultura não corporativa, o Craigslist é uma das empresas mais rentáveis no mundo em uma base "ganhos por empregado": Sua equipe de 30 pessoas gera vendas anuais superiores a $100 milhões, dizem os analistas da indústria.[4]

Clientes

A maioria dos Clientes do Craigslist não paga nada pelo serviço. O Craigslist cobra taxas de listagem para os empregadores e proprietários em algumas cidades. Estes Clientes pagantes subsidiam os não pagantes.

Proposta de Valor

Como um serviço online, o Craigslist é incomum ao proporcionar Valor, facilitando conexões *offline* entre os membros da comunidade. Outro Valor que ela fornece é um classificado de publicidade livre, que os Clientes utilizam para quase todos os serviços e produtos que se possa imaginar. Fornecer esses Valores gerou uma enorme base de Clientes fiéis, permitindo que o Craigslist ofereça um terceiro Valor: eficazes anúncios de baixo custo para os empregadores e proprietários.

Canais

O serviço é promovido e entregue exclusivamente através da internet.

Relacionamento com Clientes

Os usuários criam, editam e postam anúncios no site Craigslist usando um processo automatizado que elimina a necessidade de intervenção do pessoal do Craigslist. Funcionários dependem principalmente dos usuários para moderar fóruns e identificar atividades fraudulentas. O Craigslist concentra-se em otimizar a experiência do usuário para Clientes atuais em vez de inovar para atrair novos Clientes.

Fontes de Receita

Somente empregadores e proprietários (grupo 3 de Clientes) geram Fontes de Receita para o Craigslist.

Recursos Principais

O recurso número um do Craigslist é sua "plataforma". Uma plataforma é um mecanismo automatizado ou "motorizado" que permite as interações entre Clientes. A reputação do fundador do Craigslist, Craig Newmark e sua filosofia de serviço público é outro recurso principal, como o gerente geral do site e de sua equipe.

Atividades-Chave

A atividade mais importante do Craigslist é o desenvolvimento e manutenção de sua plataforma. Pense desta forma: o Google pode perder 100 engenheiros amanhã sem causar problemas, mas ter seu site fora do ar por um dia seria uma catástrofe. Correlacionando, o mesmo vale para o Craigslist. Além da plataforma de desenvolvimento e manutenção, a equipe passa seu tempo lidando com hackers, spammers e outros usuários ilegítimos.

Parcerias Principais

Clientes não pagantes são os Parceiros mais importantes do Craigslist, porque eles se esforçam para manter a honestidade e a civilidade entre os usuários.

Estrutura de Custos

Como uma empresa privada, o Craigslist não é obrigada a divulgar Fontes de Receita ou ganhos. Mas opera a partir de escritórios modestos com uma equipe de 30 pessoas, de modo que seus custos são pequenos em comparação com outros gigantes online, como Facebook, Twitter e eBay. As despesas principais incluem os salários dos servidores, taxa de infraestrutura de telecomunicações e aluguel do escritório. Sua dimensão dentro da indústria e muitos projetos paralelos significam que o Craigslist também incorre substanciais taxas legais e profissionais. De fato, alguns observadores acreditam que esses gastos superam todos os outros custos combinados.

CAPÍTULO 3
O Canvas do Modelo de Negócios Pessoal

Seção 1 página 54

Agora, vamos focar no modelo de negócios mais importante de todos: o modelo de negócios pessoal.

O Canvas funciona para descrever modelos de negócios pessoais, parecido com o que se faz com modelos de negócios organizacionais. No entanto, observe algumas diferenças entre os dois:

- Em um modelo de negócios pessoal, o Recurso Principal é você: seus interesses, habilidades e capacidades, personalidade e os bens que possui ou controla. Nas organizações, os Recursos Principais muitas vezes incluem uma ampla gama de recursos, tal como outras pessoas.

- Um modelo de negócios pessoal leva em conta Estrutura de Custo "leve" não quantificável (como estresse) e Benefícios "leves" (tais como a satisfação). O modelo de negócios organizacional geralmente considera apenas a Estrutura de Custos e Fonte de Receita.

Ao desenhar um modelo de negócio pessoal, você pode achar úteis as descrições alternativas destes componentes:

O Canvas do Modelo de Negócios

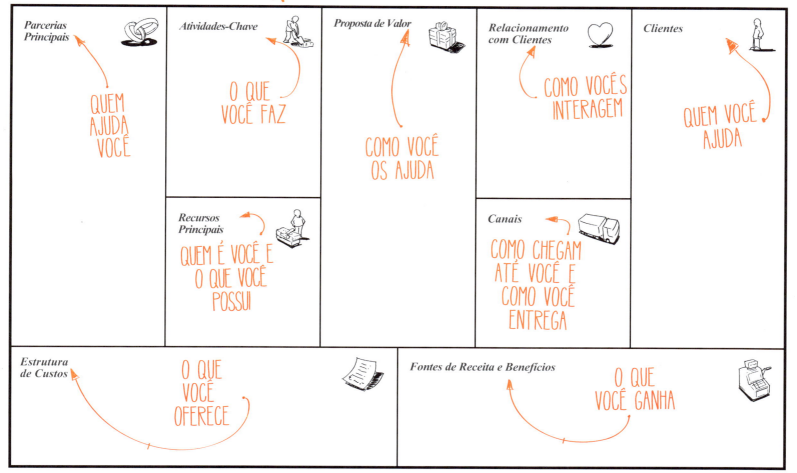

Seção 1 página **56**

Seu Primeiro Modelo de Negócios:
Hora de Escrever!

Pegue papel, lápis e lembretes autoadesivos; este capítulo é onde seu modelo de negócios pessoal começa a tomar forma. Mantenha algumas coisas em mente: ao elaborar o seu primeiro modelo de negócios pessoal, limite-se ao trabalho profissional que você faz para se sustentar.

Elabore uma imagem clara e precisa de suas atividades profissionais estabelecendo a base para depois abordar elementos "leves" da carreira, tais como: satisfação, reconhecimento, estresse, exigências de tempo, contribuição social etc.

ESTES REINVENTORES AJUDARÃO VOCÊ COM CADA COMPONENTE

Uma História Pessoal para Cada Componente

Quem ajuda você (Parcerias Principais)	O que você faz (Atividades-Chave)	Como você os ajuda (Proposta de Valor) 	Como vocês interagem (Relacionamentos com 	Quem você ajuda (Clientes)
	Quem é você e o que você possui		Como chegam até você e como	

O que você oferece (Estrut... ...astos)			O que você ganha	

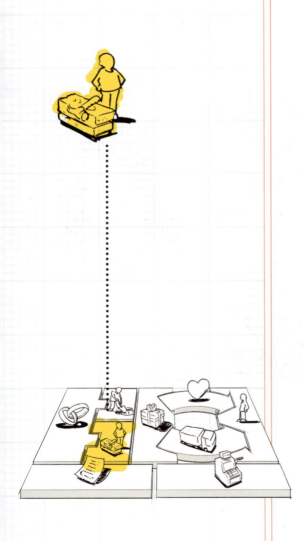

Recursos Principais
(Quem É Você/O que Você Possui)

As organizações podem atrair recursos humanos, financeiros, físicos e intelectuais significativos: pessoas, dinheiro, equipamentos, imóveis e propriedade intelectual. Indivíduos, porém, são "recursos limitados" — temos que confiar principalmente em nós mesmos. Seus Recursos Principais pessoais incluem *quem é você*: (1) os seus interesses, (2) habilidades e competências, e (3) personalidade, e *o que você possui*: conhecimento, experiência, contatos pessoais e profissionais, além de outros recursos tangíveis e não tangíveis ou ainda ativos.

Seus interesses — as coisas que empolgam você — podem muito bem ser o seu mais precioso recurso. Isso porque interesses controlam a satisfação na carreira. **Escreva seus interesses mais fortes no componente Recursos Principais.**

Habilidades e competências são os próximos. Habilidades são naturais, talentos inatos: coisas que você faz facilmente ou sem esforço. **Liste coisas específicas**, como *raciocínio espacial, facilitação de grupo e aptidão mecânica*. Habilidades, por outro lado, são aprendidas ou talentos adquiridos: coisas que você já obtem melhora por meio da prática e estudo. **Liste coisas específicas**, como *enfermagem, análise financeira, construção civil e programação de computadores*.

A personalidade completa *quem é você* (pelo menos por enquanto). **Anote algumas descrições**, tais como: *boa inteligência emocional, trabalhador, extrovertido, calmo, equilibrado, pensativo, energético, detalhista* etc.

Naturalmente, quem é você abrange mais do que interesses, personalidade, habilidades e competências: inclui valores, intelecto, senso de humor, educação, propósito, e muito mais. Por enquanto, porém, vamos usar *o que você possui*. O que você tem inclui ativos tangíveis e não tangíveis. Se você gosta de um extensivo network de contatos profissionais, por exemplo, **anote-a**. Da mesma forma, **você poderia listar** profunda experiência na indústria, forte reputação profissional, forte liderança em um campo específico, ou quaisquer publicações ou outra propriedade intelectual de sua confiança.

Por fim, anote quaisquer bens de propriedade pessoal tangível que são essenciais ou potencialmente úteis para seu trabalho, como veículos, ferramentas, roupas especiais, dinheiro ou ativos físicos disponíveis para investir em sua carreira, e assim por diante.

ESTUDO DE CASO:
RECURSOS PRINCIPAIS

NOTAS: O RECURSO É VOCÊ

PERFIL:
A MÉDICA

NOME: DRA ANNABELLE SLINGERLAND

A Dra Annabelle Slingerland se especializou no tratamento e na pesquisa do diabetes pediátrico — e acredita fortemente em dar o poder aos jovens pacientes que ouvem muitas vezes que a vida é cheia de limitações e perigos. Para promover suas crenças, Annabelle organizou uma maratona voluntária de revezamento para crianças com diabetes. Ela apelidou o evento "Kids Chain".

Pouco antes do dia da maratona, uma tragédia aconteceu: Annabelle se envolveu em um grave acidente de bicicleta. O evento aconteceu e conseguiu o que queria — atraiu inesperadamente forte atenção de empresas, do governo e da mídia — mas Annabelle se tornou incapaz de continuar sua prática como médica. Seu futuro parecia sombrio.

Ainda assim, o interesse social e da mídia no Kids Chain manteve-se forte. Lembra: "Eu não sabia que era um projeto de vida para mim. Até tentei esquecer. Mas o Kids Chain não me soltou.".

Membro do fórum, Marieke Post, mostrou a ela como usar o Canvas para projetar uma organização sem fins lucrativos que poderia sustentar o Kids Chain. Annabelle teve um insight enquanto examinava seu componente Recursos Principais. Disse: "Percebi que eu deveria considerar-me um dos recursos mais importantes do Kids Chain, e que a organização devia me pagar pela minha entrada. Nunca tinha pensado nisso assim antes.".

Hoje Annabelle atua como diretora da fundação sem fins lucrativos Kids Chain for Diabetes.

59

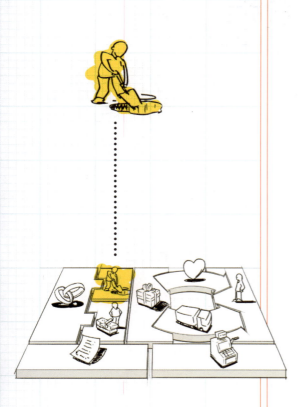

Atividades-Chave
(O que Você Faz)

Atividades-Chave — o que você faz — são controladas pelos Recursos Principais. Em outras palavras, o que você faz evolui naturalmente de quem é você.

Comece a preencher este componente ao pensar em algumas tarefas críticas que executa regularmente no trabalho. Lembre-se de que Atividades-Chave são simplesmente atividades físicas ou mentais realizadas em nome dos Clientes. Elas não descrevem o mais importante Valor criado através da realização de tais atividades.

Mesmo assim, os nomes específicos das tarefas é uma simples maneira de continuar a delinear o Canvas do seu Modelo de Negócios pessoal — e irá prepará-lo para cuidadosamente levar em conta a ideia mais importante do Valor.

Enumere as tarefas agora. Seu trabalho pode envolver apenas duas ou três Atividades--Chave, ou pode exigir uma meia dúzia ou mais. Em seu Canvas, liste apenas as atividades verdadeiramente importantes — que distinguem seu trabalho dos outros — em vez de cada tarefa que executa.

ESTUDO DE CASO: **ATIVIDADES-CHAVE**

NOTAS: DE HABILIDADES A VALORES

PERFIL:

O ENGENHEIRO

"Durante meus anos de escola e no início de carreira, concentrei-me intensamente no desenvolvimento pessoal — e me perguntava o motivo de nunca ter os benefícios concretizados. Formei-me sendo um dos primeiros da minha turma na Academia Naval, tenho um Mestrado em Engenharia Elétrica, servi como engenheiro nuclear na Marinha, e conclui um MBA, enquanto trabalhava em tempo integral. Mas, apesar destas realizações, sentia-me preso em empregos adequados a um mínimo denominador comum. Sentia-me como um engenheiro de commodity.

Enquanto procurava maneiras de aumentar a minha satisfação, achei o modelo de negócio pessoal. Pintei o meu próprio Canvas, e quase imediatamente o meu problema ficou claro. Apesar de todos os meus esforços de desenvolvimento pessoal, eu tinha esquecido que descobrir minhas habilidades poderia ajudar outras pessoas. Quando tentei preencher os componentes 'O Que você faz' e 'Quem você ajuda', eu não tinha quase nada para escrever.

Fazer a transição de um foco de habilidade para um foco em valor é dolorosamente difícil. É por isso que a ideia de modelo pessoal de negócios é mais do que o Canvas. Percebi que tinha que descobrir um interesse pelo qual eu era apaixonado — um que me satisfizesse pessoalmente, mas ajudasse aos outros ao mesmo tempo.

Não posso deixar meus sentimentos sobre a evolução do papel dos pais. Ainda estou tentando descobrir exatamente como posso ajudar. Pessoalmente, estou confuso sobre como ser um pai igual à minha esposa, que tarefas maternas específicas preciso aprender a realizar? Minha hipótese é que muitos outros pais estão silenciosamente se fazendo as mesmas perguntas. Agora estou trabalhando para criar um modelo de negócios que aborda novo e ampliado papel do pai como um educador."

NOME: STEVE BROOKS

61

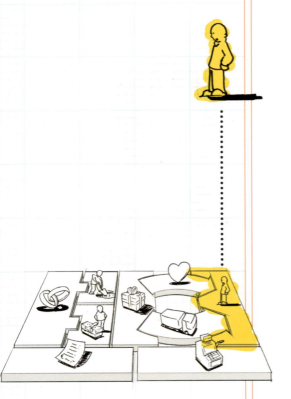

Clientes
(Quem Você Ajuda)

A seguir, selecione Clientes — quem você ajuda — para seu Canvas. Lembre-se de que Clientes são aqueles que pagam para receber um benefício (ou que recebem um benefício, sem qualquer custo e são subsidiados pelos Clientes pagantes).

Como indivíduo, seus Clientes ou grupos de Clientes incluem as pessoas na sua organização que dependem da sua ajuda para conseguir realizar a tarefa (se você é independente, pode considerar sua situação profissional como sua organização).

De forma importante, isso inclui o seu chefe, supervisor, e outros que são diretamente responsáveis pela sua compensação. Eles autorizam a organização a pagar-lhe; por consequência, eles formam um conjunto de Clientes.

Então, se você tem um chefe imediato ou supervisor, **escreva seu nome** no componente Cliente.

A quem mais você se reporta? **Escreva esses nomes** ou papéis no componente Cliente também.

Agora, pare um pouco e pense. Que papel você desempenha no trabalho? Você serve aos outros dentro de sua organização? Você passa trabalho para os colegas?

Quem depende de você ou se beneficia do seu trabalho? Essas pessoas podem não lhe pagar diretamente, mas seu desempenho no trabalho em geral — e a razão pela qual você continua recebendo o pagamento — depende de quão bem você serve aos colegas em particular.

Por exemplo, se você faz parte de uma equipe de suporte de computador ou tecnologia, você sabe muito bem o que significa ter Clientes internos! Há outros indivíduos ou grupos dentro da organização que você poderia considerar seus Clientes? E os principais líderes do projeto ou da equipe? Se assim for, **anote o(s) seu(s) nome(s).**

Em seguida, pense em outras partes envolvidas com a sua organização. E os Clientes ou empresas que compram ou usam os serviços da sua organização ou produtos? Você lida com eles diretamente? Mesmo se você não o fizer, você pode querer considerá-los seus Clientes.

Você interage com qualquer uma das Parcerias Principais da sua organização? Talvez eles mereçam um lugar na sua lista de Clientes.

Finalmente, considere as maiores comunidades servidas por seu trabalho. Tais comunidades podem incluir países vizinhos ou cidades, ou grupos de pessoas vinculadas por interesses comerciais, profissionais ou sociais comuns.

ESTUDO DE CASO:
CLIENTES

NOTAS:
REESCREVENDO A HISTÓRIA DO CLIENTE

PERFIL:
A FOTÓGRAFA DE CASAMENTOS

Trina Bowerman participou de uma oficina de modelo de negócios pessoal, e após a sessão, aproximou-se do facilitador. Ela disse que adorou as ideias apresentadas, mas que não via como poderia aplicar a metodologia do modelo de negócios pessoal em sua própria situação.

O facilitador perguntou: "Que tipo de trabalho que você faz?".

Trina respondeu: "Eu sou fotógrafa de casamentos.".

"Então você conta as histórias dos casamentos com fotos", observou o facilitador.

"Bem, de certa forma... sim."

"Então por que não tenta contar histórias sobre outros eventos além de casamentos?"

As mãos de Trina caíram para os lados, e ela balançou para trás sobre os calcanhares. "Obrigada", disse ela. Um momento depois, confessou: "Agora não vou conseguir dormir esta noite.".

NOME: TRINA BOWERMAN

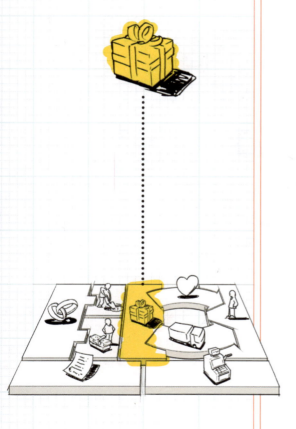

Proposta de Valor
(Como Você os Ajuda)

Agora é hora de definir o Valor que você fornece aos Clientes: como você ajuda as outras pessoas a conseguirem realizar os serviços. Como comentado anteriormente, este é o mais importante dos conceitos a se pensar sobre sua carreira.

Uma boa maneira de começar a definir o Valor é perguntar a si mesmo: "Que trabalho o Cliente me contratou para executar? Que benefícios o Cliente está recebendo como resultado desse trabalho?".

Por exemplo, anteriormente, vimos que o Valor que a Jiffy Lube® proporciona aos Clientes não reside no ato físico da troca do óleo, mas no ganho de vantagens das pessoas ao receber a ajuda de profissionais: sem problemas nos carros, nenhuma confusão e menos incômodo.

Entender como as Atividades-Chave resultam em uma Proposta de Valor para os Clientes é fundamental para definir seu modelo de negócios pessoal.

ESTUDO DE CASO:
PROPOSTA DE VALOR

NOTAS:
ENCONTRAR O TRABALHO DE VERDADE

NOME: MIKA UCHIGASAKI

PERFIL:
A TRADUTORA

Mika Uchigasaki é uma tradutora em tempo integral que trabalha com inglês e japonês. Escritórios de Advocacia estão entre seus Clientes mais importantes.

Ela participou de uma oficina de modelo de negócios pessoal em uma conferência de tradutores. Durante a sessão, o facilitador comentou com Mika sobre o andamento do primeiro Canvas da vida dela.

Em seu componente Proposta de Valor, Mika tinha escrito "traduzir documentos do Japonês para o Inglês".

O facilitador perguntou: "Como traduzir documentos do japonês para o inglês difere das Atividades-Chave?".

Mika olhou para ele intrigada.

O facilitador continuou: "Que trabalho o escritório de advocacia lhe contrata para ajudá-los?".

Mika pensou por um momento e respondeu: "Ganhar uma ação judicial".

O facilitador disse ainda: "Portanto, ajude-os a fazer esse trabalho. 'Traduzir documentos do Japonês para o Inglês' é uma atividade fundamental. A Proposta de Valor poderia ser algo como 'a criação de documentação convincente para ajudar a ganhar um processo multimilionário'. Nunca deixe que os Clientes equiparem as Atividades-Chave com a Proposta de Valor."

Os olhos de Mika brilharam. Disse ela: "Esta é uma nova maneira de pensar para mim. Tenho procurado uma forma de remodelar o meu trabalho. Acho que encontrei.".

Quando você pode definir claramente Clientes e Proposta de Valor, você completou a maior parte do trabalho necessário para desenhar um modelo de negócio pessoal. Agora, vamos ao restante:

Canais
(Como Chegam Até Você/ Como Você Entrega)

Este componente abrange as cinco fases do que é conhecido no jargão comercial como "o processo de marketing". As fases são melhor descritas em forma de pergunta:

1. Como os Clientes potenciais descobrem como você pode ajudá-los?
2. Como eles vão decidir a compra do seu serviço?
3. Como eles comprarão?
4. Como você vai entregar o que os Clientes compraram?
5. Como vai garantir que os Clientes estejam felizes?

Definir os Canais através dos quais você entrega o que os Clientes compram é simples: você pode apresentar relatórios escritos; falar com as pessoas; fazer upload de códigos para um servidor de desenvolvimento; apresentações orais presenciais ou online, ou uso de veículos ou força física na entrega da mercadoria.

Mas, como mostra o processo de cinco fases, há fases de Canais mais interessantes e mais importantes, incluindo *como conseguir que Clientes potenciais conheçam você e sua Proposta de Valor*.

Será que eles vão conhecer de você através do boca a boca? Um site ou blog? Artigos ou palestras? Chamadas de vendas? E-mail ou fóruns online? Anúncios?

Aqui está um poderoso lembrete de por que Canais são cruciais para o seu modelo de negócios pessoal: (1) Você deve *definir* como você *comunica* o seu modo de ajudar, (2) deve ainda *comunicar* como *vende* o seu modo de ajudar, e (3) você deve *vender* seu modo de ajudar para ser *pago* pela ajuda.

ESTUDO DE CASO: **CANAIS**

NOTAS: MUDANDO OS CANAIS

PERFIL:
O DESIGNER GRÁFICO FREELANCER

"Fico entediado facilmente. Depois de começar a trabalhar como designer gráfico, passei de emprego para emprego, raramente ficava muito tempo na mesma posição. As pequenas empresas que trabalhei não gostavam da minha falta de paciência para os detalhes ou os meus esforços para me interessar pelo fluxo de trabalho. Frequentemente eu era demitido após alguns meses; outras vezes eu ia embora para buscar novas oportunidades. Sem um passado empresarial, eu não sabia que era o freelancer perfeito até que um dos meus empregadores mencionou — logo após me demitir.

Eu não sabia nada sobre modelos de negócios ou de marketing pessoal baseado em Valor. Mas, além de minhas habilidades de design, dois dos meus pontos fortes são que adoro conhecer novas pessoas e faço vários projetos novos ao mesmo tempo.

Por exemplo, era fácil para mim entrar no setor de design gráfico de uma agência de publicidade pela primeira vez e me familiarizar rapidamente. Pela hora do almoço, todo mundo pensava que eu já trabalhava lá há anos, porque eu conhecia as pessoas, seus Clientes e os processos do departamento.

Ficar facilmente entediado e sempre querer conhecer novas pessoas e lidar com novos projetos pode trabalhar contra, quando você é um funcionário em tempo integral. Mas quando mudei de Canal de empregado a freelancer, estas qualidades tornaram-se pontos fortes. Os meus colegas tinham as mesmas habilidades técnicas, ou ainda melhores. Mas porque só me levava uma hora para me familiarizar com uma nova oportunidade, encontrei-me sendo disputado."

NOME: KEN TIMMERMAN

67

Seção 1 página **68**

Relacionamentos com Clientes
(Como Vocês Interagem)

Como você descreveria a forma como interage com os Clientes? Você fornece serviço pessoal face a face? Ou suas relações são mais baseadas em e-mails ou outra comunicação escrita? Seus relacionamentos são caracterizados por transações únicas ou serviços constantes? Você se concentra no crescimento de sua base de Clientes (aquisição) ou na satisfação de Clientes existentes (manutenção)? **Anote suas respostas no seu Canvas.**

ESTUDO DE CASO: RELACIONAMENTOS COM CLIENTES

NOTAS: CONECTAR-SE AOS TERMOS DELES

PERFIL:

A GERENTE DE CONTAS

Jessica Ho começou um trabalho de vendas para um fabricante de produtos de papel e materiais para escritórios e foram-lhe designadas contas importantes dos Estados Unidos, como a Staples e OfficeMax. Mas depois de vários meses, ela ainda estava se esforçando para desenvolver um bom relacionamento com seus Clientes. Por isso, procurou a ajuda de Jim Wylie, um conselheiro vocacional recomendado pelo seu chefe.

Wylie focou primeiro nos componentes Relacionamentos com Clientes de Jessica. Ele descobriu que ela tinha um comportamento muito agradável e era uma forte comunicadora verbal. Mas, além de visitar os Clientes para receber pedidos ou entregar as encomendas, ela raramente ligava para eles. Jessica admitiu que era "uma criança da era digital" que se sentia mais confortável enviando e-mail do que falando pessoalmente ou por telefone.

Wylie sugeriu que Jessica utilizasse seu telefone celular para ligar para os Clientes sempre que a oportunidade surgisse. Jessica seguiu o conselho, e logo ela estava tendo um ótimo Relacionamento com seus Clientes. Entrar em contato pelo telefone com frequência faz as coisas acontecerem mais rapidamente e criou uma conexão que era mantida nas reuniões pessoais.

NOME: JESSICA HO

Seção 1 página 70

Parcerias Principais
(Quem Ajuda Você)

Suas Parcerias Principais são aquelas que o apoiam como profissional e ajudam-no a realizar seu trabalho com pleno sucesso. Parcerias Principais podem dar conselhos, motivação, ou oportunidades de crescimento. Eles também podem dar-lhe outros recursos necessários para realizar bem determinadas tarefas. Os Parceiros Principais podem incluir colegas ou mentores de trabalho, os membros do seu network profissional, familiares ou amigos, ou conselheiros profissionais. **Liste quaisquer Parcerias Principais agora**. Mais tarde, você pode escolher por ampliar sua definição de Parcerias Principais.

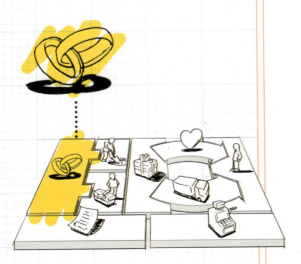

ESTUDO DE CASO: **PARCERIAS PRINCIPAIS**

NOTAS: **CONSIDERE PARCEIROS INTERNOS**

PERFIL:
O PROFISSIONAL DE VENDAS

Jon Taylor era um representante de vendas com 20 anos de experiência na venda de matérias-primas para Clientes da indústria de plásticos. Ele sempre aproveitou a liberdade na gestão de Clientes, era capaz de definir seu próprio preço e condições de pagamento, e precisava apresentar pouca documentação interna de suas atividades de vendas. Isso tudo mudou quando a companhia de Jon foi adquirida por uma grande empresa internacional.

Dentro da organização, nova e maior, Jon descobriu que seu estilo irritava a equipe "interna" que fornecia aos vendedores o apoio administrativo e de marketing. Estes membros da equipe davam preço e diretrizes de longo prazo aos vendedores, e pediam a documentação das atividades para que eles pudessem monitorar as ações de vendas e informar à gerência.

Revisitando seu modelo de negócios pessoal, Jon percebeu que a aquisição lhe trouxe um novo conjunto de Parcerias Principais internas que eram quase tão importante quanto seus Clientes externos para o seu sucesso pessoal. Ele também reconheceu que seu estilo "independente" era ultrapassado.

Jon decidiu começar a enviar documentação da atividade para seus novos Parceiros internos e ligar para o gerente de vendas e o pessoal de apoio interno com frequência. Estas novas atitudes simples impressionaram e conquistaram seus colegas.

NOME: JON TAYLOR

71

Seção 1 página 72

Fontes de Receitas e Benefícios
(O que Você Ganha)

Anote fontes de receitas, como salário, taxas de contratantes ou profissionais, ações, royalties, e quaisquer outros pagamentos em dinheiro. Adicionar benefícios, tais como: plano de saúde, planos de previdência, ou assistência escolar. Mais tarde, quando você refletir sobre como quer modificar o seu modelo de negócios pessoal, pode levar em conta os benefícios "intangíveis", tais como o aumento do reconhecimento, da satisfação e da contribuição social.

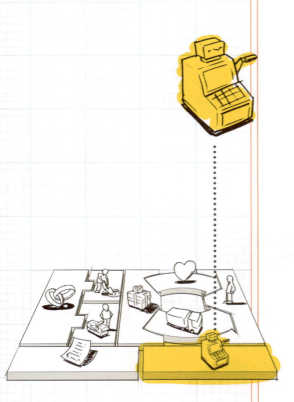

ESTUDO DE CASO:
FONTES DE RECEITAS E BENEFÍCIOS

NOTAS: REPENSE AS FONTES DE RECEITAS

PERFIL:
A ASSISTENTE EXECUTIVA

NOME: JET BARENDREGT

Jet Barendregt era assistente executiva de um sócio sênior em uma agência europeia de consultoria contábil, a PricewaterhouseCoopers LLP (PwC).

Como os negócios da PwC cresceram, a empresa acrescentou cargos similares ao de Jet. Mas o turnover foi alto, e Jet se viu treinando os novatos, mesmo assumindo responsabilidades adicionais mais pesadas. Depois de dez anos, Jet tornou-se indispensável para a empresa — mas sentiu que sua experiência e Valor foram menosprezados.

Então, quando seu empregador anunciou uma mudança de localização que iria aumentar dramaticamente seu trajeto, Jet decidiu que era hora de reinventar seu modelo de negócios pessoal.

Ela deixou a PwC e configurou um serviço de assistente pessoal virtual, atendendo a Clientes inteiramente através de e-mail, telefone, Skype, e baseado em computação em nuvem. Sua principal inovação foi nos componentes Fontes de Receita e Benefícios: ela substituiu seu salário por uma taxa de assinatura mensal.

Hoje, Jet não faz trajeto nenhum, tem mais tempo para seus filhos e outros interesses, e ganha três vezes mais do que ganhava na PwC. Além do mais, ela é capaz de escolher seus Clientes. Jet disse: "Minha experiência mostra que você pode realmente aumentar as Fontes de Receita e Benefícios enquanto reduz a Estrutura de Custos. Tudo o que precisamos é compromisso, confiança — e o modelo certo.".

73

Seção 1 página 74

Estrutura de Custos
(O que Você Oferece)

Estrutura de Custo engloba o que você oferece ao seu trabalho: tempo, energia e dinheiro principalmente.

Liste qualquer Estrutura de Custo tangível não reembolsável, tais como:

- Taxas de treinamento ou de assinatura
- Despesas de deslocamento, viagens e lazer
- Veículos, equipamentos ou vestuário especial
- Gastos com internet, telefone, transportes, ou despesas com utilidades que surgem do trabalho em casa ou nas instalações do cliente

Estrutura de Custos também inclui o estresse ou insatisfação provenientes das Atividades-Chave ou trabalho com Parcerias Principais. No capítulo seguinte, vamos discutir este componente quando se mostra "intangível".

ESTUDO DE CASO:
ESTRUTURA DE CUSTOS

NOTAS:
ATIVIDADES CONTROLAM A ESTRUTURA DE CUSTOS

PERFIL:
O EXECUTIVO DE MARKETING

NOME: MARK DEGGINGER

75

Conta a conselheira vocacional Fran Moga: "Quando Mark Degginger entrou no meu escritório, era como se letreiros luminosos estivessem me dizendo que ele tinha o emprego errado. Ele estava infeliz. Ele tinha um salário de seis dígitos, uma bela casa e um belo barco. Mas ele se arrastava para trabalhar todos os dias. Ele tirava longas horas de almoço para poder tolerar as tardes.

Ele trabalhava para uma agência de publicidade muito direcionada pelo lucro, isso gerava muito estresse e um ambiente agressivo. Ele também tinha um problema nas costas — ele era mais jovem que eu, embora parecesse mais velho.

O maior problema era que, embora ele fosse competente, o trabalho causava um conflito de valores. Ele tinha o perfil de sucesso, mas queria algo que lhe desse uma sensação de contribuir para um bem maior.

Então um dia perguntei: 'Por que você continua fazendo isso? Alguma vez você já pensou sobre o que está custando-lhe?'. Ele saiu sem dizer uma palavra. Mas na próxima sessão, ele pareceu entender, e disse: 'Estou pagando o preço nos relacionamentos, na saúde e na qualidade de vida'.

Quando Mark chegou em uma de nossas últimas reuniões, eu sabia que as coisas estavam melhores mesmo antes dele falar. Ele parecia mais brilhante e mais relaxado.

Perguntei: 'Como vai você?'. Respondeu ele: 'Estou ótimo!'. Ele pediu demissão de seu emprego na agência de publicidade, e ele e a esposa haviam concordado em reduzir as despesas. Tinha aceitado um emprego em uma empresa sem fins lucrativos que treina as pessoas desfavorecidas e deficientes. Foi um grande corte no salário. Mas ele estava muito mais feliz."

PONTO-CHAVE:
OS SERVIÇOS DOS CLIENTES

PERFIL:
A ESTUDANTE DE DOUTORADO

NOME: CHRIS BURNS

Uma jornalista por formação e experiência, Chris Burns viu os modelos de negócios das indústrias de publicações tradicionais — incluindo o seu próprio empregador — secarem perante o ataque da internet. No momento em que ela foi demitida, tinha se matriculado em um programa de doutorado com o objetivo de se tornar professora de redação.

Graças ao seu forte interesse nas questões de sustentabilidade e conexões fornecidas a ela pelos membros da comissão de doutorado, Chris encontrou um emprego de meio período de revisora de trabalhos acadêmicos para professores universitários. Para sua surpresa, ela gostou deste trabalho.

Um dia, Chris percebeu que seu *verdadeiro* trabalho não era de revisora, era algo muito mais valioso: ajudar os Clientes a ter seus artigos publicados em revistas acadêmicas. Então, ela decidiu aumentar sua taxa por hora e cobrar por tempo de pesquisa.

O resultado? Ela ganhou mais Clientes do que nunca.

Recordando, Chris reconheceu duas falhas comuns em seu modelo inicial:

Igualar as Atividades-Chave com a Proposta de Valor
Em vez de identificar o serviço exigido pelo Cliente no mais alto nível — e definir o Valor em termos de trabalho — Chris equiparou a Proposta de Valor com as atividades de editar e reescrever. Isto diminuía o valor de sua oferta.

Possuir o trabalho
Chris "possuía" o trabalho desde o início. Isso deixou seu trabalho estritamente definido por Clientes como "melhorar a legibilidade e estilo". Quando ela começou a lembrar aos Clientes que ter o trabalho publicado era serviço deles — e que ela poderia ajudar com isso — seu Valor (e reputação) dispararam.

Como Chris Revisou Seu Modelo de Negócios Pessoal

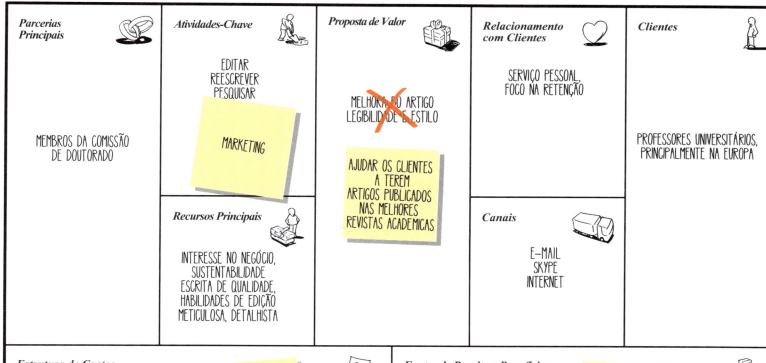

Seção 2 página 78

Refletir

Reflita sua direção na vida e pense em como você quer alinhar suas aspirações pessoais e de carreira.

CAPÍTULO 4
Quem É Você?

PONTO-CHAVE:
COLOCANDO QUEM VOCÊ É NO QUE VOCÊ FAZ

PERFIL:
A CORREDORA DE CACHORROS

Quando Andrea Wellman foi dispensada de seu emprego como fotógrafa comercial, ela tentou não entrar em pânico. Não correu para a agência de empregos temporários mais próxima, não procurou empregos nos classificados, muito menos pediu dinheiro emprestado para a família.

Ao invés disso, ela repentinamente preencheu sua agenda vazia com compromissos que havia deixado de lado enquanto trabalhava: compromissos com ela mesma.

Andrea admite que a tentação de aceitar um emprego de meio período "só para ganhar um dinheirinho" era forte. Felizmente, sua necessidade de reflexão pessoal — e um novo modelo de negócios pessoal — venceu. Ela conta: "Até perder o meu emprego, eu estava funcionando em piloto automático. Achei que essa era a minha melhor oportunidade para encontrar um modo de recuperar algum controle sobre minha carreira.".

Andrea é louca por duas coisas: cachorros e corrida. Criada com um São Bernardo, ela nunca ficou sem a companhia de um amigo canino. E ainda que a corrida tenha vindo depois, ela ama um bom trajeto — ou uma boa maratona — tanto quanto ama seus animais. Na verdade, alguns meses antes de perder seu emprego como fotógrafa, Andrea combinou suas duas paixões: começou a correr com sua cadelinha, Molly. Ocasionalmente, ela fazia isso com um cachorro de um amigo também, e os três saíam trotando pelas ruas de Seattle.

Após ficar desempregada, ela continuou a correr com Molly. E pelo fato de ter mais tempo livre, começou a correr com outros cachorros a pedido dos amigos. Relata: "Mantive-me sã. Não só isso, mas me mantive feliz — sentia-me tranquila, até mesmo em êxtase, enquanto corria com os cachorrinhos.".

Um dia, enquanto folheava um exemplar da revista *Runner's World*, Andrea leu uma história sobre mudança de carreira. Lembra: "Havia um cara em Chicago que corria com cachorros em tempo integral. Era tudo que eu fazia!". No início, ela era meio cética quanto ao fato de ganhar a vida correndo com animais de estimação. Mas ela pesquisou sobre ele. Com certeza, ela era uma corredora de cachorros profissional.

Ela ligou imediatamente para seus amigos. Contou a eles sobre o corredor de cachorros de Chicago e perguntou se eles pagariam a ela para continuar correndo com seus cães. Para sua surpresa, eles concordaram. Recorda: "Eles disseram que viram mudanças positivas nos cachorros desde que comecei a correr com eles. Meus amigos acreditaram que as corridas estavam melhorando o bem-estar de seus animais — então ficaram felizes em me pagar.".

Andrea estava eufórica.

No começo, sua nova renda era mais uma ajuda do que um fluxo de caixa de verdade. Mas os amigos estavam tão felizes com o serviço que divulgaram: para outros amigos, no trabalho e pela cidade. E de repente, desconhecidos começaram a procurar os serviços de Andrea. Ela estava maravilhada. Conta: "Honestamente não pensei nisso como um trabalho 'real'. Sempre concordei em adicionar outro cachorro, mas pelo fato de amar o que fazia e perceber o quanto os cães adoravam também.".

As pessoas continuaram a perguntar, e eventualmente Andrea percebeu que poderia pagar seu aluguel com sua renda de correr com cachorros. Alguns meses depois, ela era capaz de pagar mais algumas despesas. Um dia, ela percebeu que aquele passatempo gradualmente se tornou sua profissão — significando que ela podia começar a pensar em termos de negócios. Ela adicionou o seguro de animais. Obtve uma certificação CPR em animais. Criou um site.

Hoje, Andrea trabalha em tempo integral como corredora de cachorros. Tem mais de 50 clientes — tantos que ela contratou outros corredores para ajudar. O modo como ela vê, é uma grande parte do que torna seu negócio válido. Afima ela: "Meu trabalho se tornou mais do que viver *meu* sonho. Criei uma forma de outros corredores viverem os seus — e para mim isso é muito gratificante.".

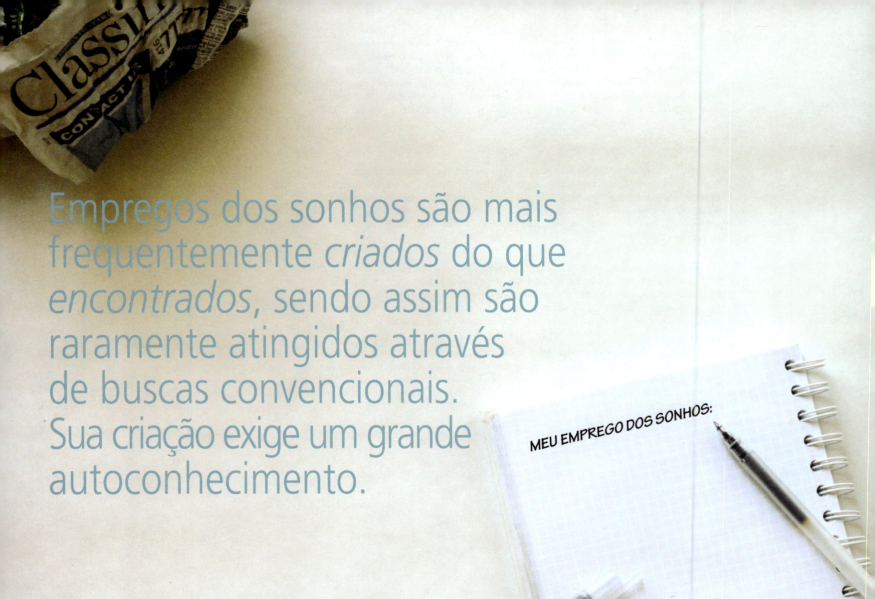

Empregos dos sonhos são mais frequentemente *criados* do que *encontrados*, sendo assim são raramente atingidos através de buscas convencionais. Sua criação exige um grande autoconhecimento.

Descobrindo Você Mesmo

"A maior parte das pessoas que falham ao procurar seu emprego dos sonhos não é por falta de informação sobre o *mercado de trabalho*, mas por falta de informação sobre *eles mesmos*", conta Dick Bolles, autor de *What Color is Your Parachute?*, o guia de carreira em inglês que está na lista dos mais vendidos há 40 anos.[5] Empregos dos sonhos são mais frequentemente *criados* do que *encontrados*, sendo assim são raramente atingidos através de buscas convencionais. Sua criação exige um forte autoconhecimento.

E como no caso da Andrea, precisamos às vezes de uma crise — como perder o emprego ou ir à falência com um novo negócio — para que reflitamos com cuidado sobre nossas carreiras e sobre nós mesmos. Sem isso, a autorreflexão extensiva pode nos tornar egoístas. Mas pensar em você não é egoísmo, diz Bolles, pois tem a ver com o que *o mundo mais precisa* de você.

E mais, refletir profundamente sobre quem é você antes de uma crise também traz recompensas para você e seus Clientes, pois ajuda a prevenir problemas e decepções. Quando você está satisfeito pessoalmente, tem mais capacidade de ajudar aos outros.

Contudo, sem um problema nos empurrando, como podemos mergulhar na autorreflexão significativa?

Seção 2 página 86

O Mundo Além do Trabalho

Para fazer o exercício da Roda da Vida

- Escolha oito dos temas listados acima (ou misture com seus próprios temas/áreas de interesse).
- Em uma folha de papel separada ou usando a Roda em branco na página 87, indique seu nível de satisfação em cada categoria marcando itens ao longo dos segmentos — considerando o centro da Roda como sendo "zero satisfação" e o perímetro como "satisfação completa".
- Quando terminar, conecte seus pontos e preencha a área central.

Um círculo completamente cheio representa total plenitude em todos os aspectos da vida. Um parcialmente preenchido, como o que temos acima, revela elementos da vida que necessitam de mais atenção.

Conselheiros vocacionais às vezes pedem para seus clientes começarem por este processo de autorreflexão com a Roda da Vida. Há versões diferentes da Roda, mas cada uma mostra um grupo de temas ou áreas de interesse, como Boa Forma/Saúde, Carreira, Riqueza/Dinheiro, Crescimento Pessoal/Espiritual, Diversão/Recreação, Amor, Amigos/Família, Ambiente Físico/Lar, Criatividade/Autoexpressão e Estilo de Vida/Posses.

A ideia é escolher oito temas que você achar mais relevantes e designar um tema para cada seção da Roda.

Conselheiros vocacionais algumas vezes pedem que os clientes completem o exercício, e então peguem um lápis de cor diferente e pintem as áreas adicionais representando onde eles *gostariam* de estar dentro de cada segmento. Eles lembram aos clientes que nem todos priorizam as coisas da mesma forma: Um segmento que tem 50% preenchido em Amigos/Família, por exemplo, pode ser adequado para uma pessoa e inaceitavelmente baixo para outra.

O exercício da Roda da Vida dá pistas para temas variados dentro dos quais nossos reais interesses moram. Ao mesmo tempo, recorda-nos das dimensões da vida que podem ser tão importantes quanto o trabalho — ou até mais importantes.

página 87 **Refletir**

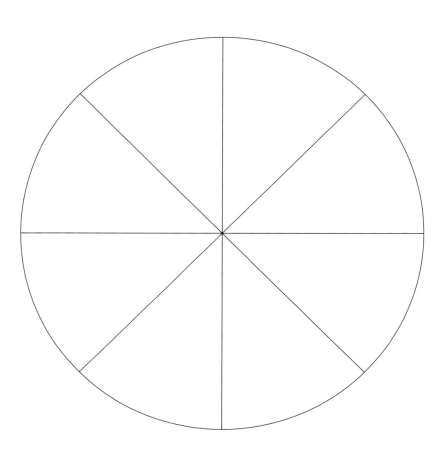

Seção 2 página 88

Respondendo à Pergunta "Quem Sou Eu?"

Após pensar sobre onde trabalha e como outras buscas atuais se encaixam em sua vida, talvez você tenha percebido um desequilíbrio. Como restaurar o equilíbrio?

Você lembra como a Andrea encontrou mais satisfação e motivação? Ela se voltou para as coisas que sempre amou. E, no final, as coisas que apreciamos quando crianças podem iluminar nossos caminhos enquanto adultos.

Enquanto crianças, sabíamos quem éramos e do que gostávamos de fazer, mesmo sem vocabulário para expressar isso.

Mas, como explica Marcus Buckingham, em certo ponto: "Sua certeza infantil foi embora, e você começou a ouvir o mundo ao seu redor com mais atenção do que a si mesmo. O mundo era persuasivo e falava alto, então você se conformou com suas exigências."[6]

Vale a pena considerar a possibilidade de que nossas carreiras e valores estão cercados pelas expectativas definidas por outras pessoas, não por nós mesmos. Especialmente em decisões profissionais, família, colegas e professores frequentemente nos pedem uma decisão baseada em "segurança", "estabilidade", "respeitabilidade", "bom salário" ou outros atributos.

O problema com as expectativas dos outros, no entanto, é que podemos acabar adotando-as como nossas; um desejo por aceitação social pode facilmente sobrepor nossas vontades internas.

Mas e se as expectativas dos outros não estiverem nos servindo?

Vamos fazer uma experiência.

Volte a qualquer época antes de ter 20 anos:

O que você amava fazer?

De quais atividades — jogos, hobbies, esportes, eventos extracurriculares ou matérias da escola — você gostava?

Lembre-se de suas inclinações naturais e internas.

Pense sobre o que você ficava fazendo por horas e sua felicidade seria clara para todo o mundo.

Com que tarefas o tempo parecia voar?

Escreva seus pensamentos na página seguinte.

página 89 **Refletir**

Interesses Internos Tornam-se Externos!

Você ainda se satisfaz com aquelas atividades felizes ou algo parecido? Elas ainda são parte da sua Roda da Vida?

Assim como Buckingham observa, muitos de nós abriram mão das atividades "infantis" para buscar o negócio sério do estudo, trabalho, ou outro modo de preparação para seguirmos como adultos responsáveis.

Talvez acreditando que as paixões de infância eram incompatíveis com a satisfação como adultos, abandonamos estas para buscar metas convencionais.

Mas, enquanto as pessoas certamente mudam e adaptam-se ao longo do tempo, pesquisas sugerem que nossos reais traços de personalidade, paixões e interesses permanecem relativamente estáveis após a infância.[7]

Então, mesmo quando atingimos o "sucesso" convencional — assim como Carol, a advogada tributarista da história da página 126 — abrigamos sonhos não realizados, que ficaram enraizados nas atividades escolhidas quando crianças.

Se, quando adultos, falharmos em reconhecer e procurar nossos reais interesses de algum modo, podemos desperdiçar nossas vidas sem experimentar plenitude e satisfação.

"Cada um de nós carrega dentro de si uma ânsia secreta — que, com o passar do tempo, ao longo da vida, torna-se com frequência um arrependimento secreto. Esta ânsia será diferente para cada um de nós, já que é um traço muito pessoal de autoexpressão. Somente na medida em que — cada um de nós — formos capazes de trazer à tona as vontades reais do nosso coração, nossas vidas serão plenas, verdadeiramente válidas."
— George Kinder[8]

Seção 2 página 92

Múltiplos Papéis

Você refletiu sobre o seu trabalho, seus interesses e sua infância. Agora, use os seguintes exercícios para pensar sobre como definir a si mesmo de um modo que ajude a levar sua vida profissional à frente.

Dick Bolles, talvez o mais influente conselheiro vocacional do mundo, criou um modo poderoso de ajudar a responder à pergunta crucial, "Quem sou eu?".

Pegue dez folhas de papel em branco. No cabeçalho de cada uma delas, escreva "Quem sou eu?".

Então, em cada folha, escreva uma resposta para esta pergunta.

Quando tiver terminado, reveja todas as dez folhas e amplie o que escreveu. Escreva (1) *por que* disse isso, e (2) *o que empolga você* a respeito desta resposta.

Quando tiver terminado, reveja e organize as folhas em ordem de prioridade. Em outras palavras, qual identidade importa mais para você? Coloque esta página no topo. Qual é a próxima? Esta vai por baixo da folha de cima. Continue até que a identidade menos importante fique no final da pilha.

Ao final, reveja as dez folhas, em ordem, e olhe cuidadosamente para como você descreveu *o que empolga você*. Veja se há alguns denominadores comuns dentre as dez respostas. Se houver, coloque-os em uma folha separada.

Voilà! Você está começando a tocar em coisas que seu emprego, carreira ou missão dos sonhos precisa ter para que você se sinta empolgado, completo e útil.[9]

A próxima página mostra como um membro do Fórum completou este exercício.

Quem sou eu?

O que me empolga em relação a estes papéis?

1. MARIDO
Amor, sexo, núcleo familiar, companheirismo

2. PAI
Estímulo, alegria, satisfação em ver o futuro dos meus filhos se desenvolver, orgulho de suas realizações

3. PROFESSOR
Ajudar os outros, ser útil, explorar/revelar mistérios/verdades, exercitar habilidades de planejamento e apresentação, aprender, escrever

4. EMPREENDEDOR
Entusiasmo gerado pela criação de algo novo, recompensa/perigo, mistério, autoexpressão

6. FILHO
Laços familiares, reconhecer a si mesmo nos pais/próprios filhos, pensar em legado

7. IRMÃO
Laços familiares, companheirismo, pensar em legado

8. TRADUTOR
Exercitar uma habilidade incomum, uso da linguagem, servir como ponte entre culturas, ajudar a esclarecer verdades agnósticas – culturais/universais, escrever e editar

9. PALESTRANTE
Atenção, reconhecimento, planejamento e apresentação de mensagens, aplausos

página 95 **Refletir**

5. ESCRITOR

AUTOEXPRESSÃO,
RECONHECIMENTO,
PRAZER EM EXERCITAR
HABILIDADES E TÉCNICAS
DE ESCRITA, BELEZA
E ELEGÂNCIA

10. MÚSICO

CRIAR/COMPARTILHAR A
BELEZA, APRENDER,
COMPANHEIRISMO,
APRESENTAÇÕES

DENOMINADORES COMUNS?

EXPLORAR/REVELAR
MISTÉRIOS/VERDADES,
PLANEJAR E APRESENTAR,
ESCREVER, AUTOEXPRESSÃO,
APRENDER, EXERCITAR
HABILIDADE INCOMUM,
COMPANHEIRISMO

O QUE MINHA CARREIRA DEVE
USAR/INCLUIR PARA QUE EU SEJA
FELIZ, ÚTIL, E SURTA EFEITO?

A APRESENTAÇÃO DAS
MENSAGENS QUE LIDAM COM
A VERDADE E A BELEZA,
CENTRADAS NA LINGUAGEM,
DEVE ENVOLVER TANTO
APRESENTAÇÕES ESCRITAS E
PRESENCIAIS QUANTO
INTERAÇÕES DE COMPANHEIRISMO.

Seção 2　página 96

Múltiplos Canvas

Assim que você definir e priorizar seus diferentes papéis, considere esta ideia: Você poderia desenhar um Canvas diferente para cada um.

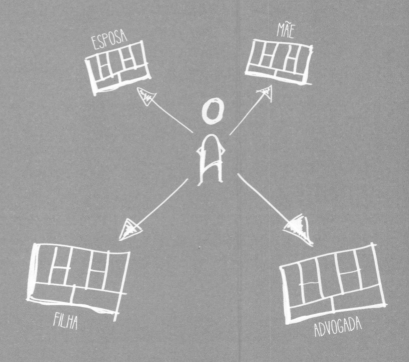

Por exemplo, se você desenhar um Canvas ilustrando seu papel como cônjuge, quem seria seu Cliente? Que Valor você Forneceria? Através de quais Atividades-Chave?

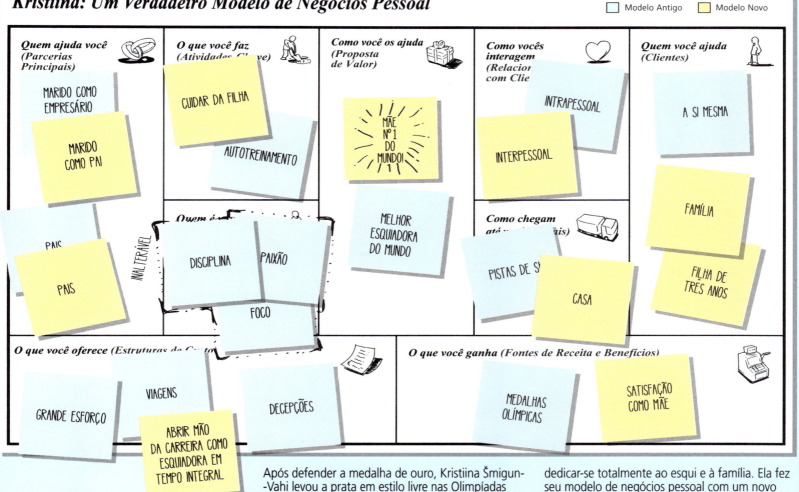

Descoberta da Linha da Vida

A maioria dos profissionais de carreira concorda que a satisfação no trabalho é impulsionada por três fatores principais: interesses, capacidades/habilidades e, por fim, personalidade.[10]

A descoberta da Linha da Vida é uma ferramenta que ajuda você a definir e examinar esses fatores.

Seção 2 página 100

a. Trace Seus Pontos Altos e Baixos

Lembre-se de eventos que representam pontos altos e baixos na sua vida e trace-os em um cronograma que remonta a tão longe quanto você possa lembrar.

O eixo vertical representa prazer e/ou entusiasmo; o eixo horizontal representa o tempo.

"Pontos altos" e "pontos baixos" são:

- **Eventos específicos, importantes em sua vida:** bons ou ruins, pessoais ou profissionais — relacionados ao trabalho, vida social, amor, hobbies, meio acadêmico, buscas espirituais, ou outras áreas
- **Marcos ou fatos** de que se lembra claramente e estão associados a sentimentos fortes
- **Principais mudanças de carreira**, tanto positivas quanto negativas

Abaixo está uma "Linha da Vida" em branco que você pode utilizar (ou desenhe sua própria). Por ora, trace cada evento na sua Linha da Vida com um ponto e uma breve descrição, como "casei com Jan" ou "consegui um emprego na Vesta".

Inicie na extremidade esquerda com o mais recente ponto alto ou baixo que você lembrar, em seguida, trabalhe até o presente. Quando você tiver traçado 15 a 20 eventos, desenhe uma linha ligando todos os pontos.

Sua conexão pode agora ficar parecida com a da direita feita por Darcy Robles, um membro do Fórum que completou o exercício para ajudar a esclarecer quão satisfeita ela estava com sua situação de trabalho.

− Entusiasmo/Prazer +

Minha Linha da Vida

página 101 **Refletir**

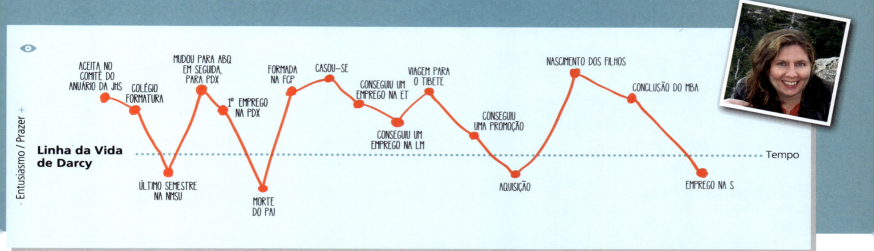

Seção 2 página 102

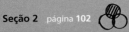

b. Descreva os Eventos

Escreva uma frase concisa ou duas descrevendo cada evento. A ideia é capturar alguns dos trabalhos-chave que trazem a satisfação mencionada anteriormente, interesses específicos, habilidades/competências e valores. Algumas orientações:

Use palavras de ação, como "projetar", "tomar" ou "montar". Tente descrever cada evento usando dois ou mais verbos. Por exemplo, se você fez um solo numa interpretação de uma canção em um grupo da escola, ao invés de "cantei uma música" escreva: "Selecionei, ensaiei e executei 'Don't Let the Rain Come Down' no concurso de talentos da escola. Tive muitos aplausos!".

Como parte deste passo, inclua uma nota sobre o contexto em que você agiu — em outras palavras, anote o lugar e o tema do evento. No exemplo acima, o contexto é "show de talentos da escola."

Veja como Darcy Robles descreveu cinco de seus eventos:

1. Aceita para integrar a comissão do livro do ano: trabalhei como uma parte de um grupo para projetar e desenvolver o livro do ano do Ensino Médio. Aprendi a importância de pensamento positivo, tendo confiança em mim mesma.

2. Formada na Faculdade Comunitária de Portland em Sistemas de Informação: encontrei grande satisfação usando habilidades de raciocínio/lógica para resolver problemas, aprendi a projetar/desenvolver soluções, gostei de contribuir com ideias/trabalhar com grupos em direção à meta comum.

3. Trabalhou na ET como principal funcionária de TI: ouvi problemas/oportunidades dos Clientes internos, tive profunda satisfação ao usar habilidades técnicas/de análise para desenvolver soluções. Aumentei continuamente as técnicas graças ao conhecimento para trabalhar numa variedade de áreas, apreciei a atmosfera de alta energia e otimista.

4. Viagem ao Tibete: aproveitei a aventura e singularidade da cultura tibetana. Ampliei o meu conhecimento das pessoas e suas histórias. Período de autorreflexão e de crescimento pessoal.

5. Mudança de empregador devido à aquisição: gerenciei equipe de pessoas/operações do dia a dia, pouco desenvolvimento de técnicas. Novas ideias/capacidade de implementá-las de forma limitada. Algum desenvolvimento pessoal, mas não muito aprendizado novo. Cultura da empresa nova mais burocrática, gestão à moda antiga, mais dinheiro — do que valor agregado, menos energia positiva.

 página 103 **Refletir**

Meus Eventos da Linha da Vida:

1.
2.
3.
4.
5.
6.
7.
8.
9.
10.
11.
12.
13.
14.
15.
16.
17.
18.
19.
20.

c. Reconhecer Interesses

Agora é hora de se divertir com a autodescoberta.

Interesses são um recurso fundamental que de fato fazem você ser autêntico. Considere todos os pontos altos dos seus eventos — coisas que o animam. Em que contexto (setor da indústria/tema/área de interesse) que cada evento acontece?

Que atividades ou ações estavam envolvidas? Que outros pontos em comum apontam para áreas de interesse específico? Aliás, como é que as áreas de interesse sugerem corresponder-se com os resultados da sua Roda da Vida?

Outra ideia a considerar: identificar transições de carreira *onde você tomou as principais decisões relativas à mudança*. Seriam, sobretudo, pontos altos ou baixos da carreira?

Profissionais de carreira notam que um *lócus interno de controle* é fundamental para a satisfação profissional. O lócus interno de controle significa que *você* decide por *si mesmo* o que você quer fazer, ao invés de ser influenciado por terceiros (familiares, amigos, colegas, dinheiro, a sociedade em geral). Quando nós nos conhecemos bem, é improváve agir por causa das expectativas dos outros — ou deixar as nossas carreiras no piloto automático.

O que Darcy Reconheceu

Eu ficava mais satisfeita quando era capaz de usar minhas habilidades criativas e analíticas (lógica e raciocínio) para desenvolver e implementar soluções para esses problemas em uma atmosfera positiva orientada por soluções. Fiquei profundamente satisfeita contribuindo para um projeto com uma equipe dedicada com um objetivo comum ou trabalhando com os clientes para desenvolver soluções para seus problemas. Finalmente, um tema comum é a variedade e a contínua aprendizagem, igualmente em habilidades e crescimento/desenvolvimento pessoal.

Meus verbos principais: desenvolver, criar, resolver, aprender, analisar, implementar (ideias), comunicar e trabalhar (com os outros).

Seção 2   página 106

d. Identificar as capacidades/habilidades

Volte para a sua lista de eventos da Linha da Vida na página 103 e circule os pontos altos. Em seguida, verifique a tabela abaixo. Verifique células com palavras que descrevem atividades que você fez em seus pontos altos. Poucas palavras vão descrever *precisamente* suas atividades, deste modo, veja as que são *semelhantes*. Então, marque as colunas.

A MARCAÇÃO COMEÇA AQUI!

Trabalho de contabilidade	Anunciou	Analisou	Agregou	Frequentou/organizou evento	Debateu
Auditoria	Criatividade artística	Conduziu pesquisa independente	Construiu estrutura	Pertencia ao clube social	Iniciou ação
Informática	Conceituada	Questões desenvolvidas	Cuidou de animais	Cuidou de crianças, idosos	Liderou pessoas
Análise/cálculo	Criou arte ou publicação	Diagnosticou	Dirigiu veículo	Coordenou	Negociou
Inventário	Ideias criadas	Entrou numa feira de ciências ou concurso	Reparos mecânicos/elétricos	Aconselhou	Participou de campanha política
Gerência de escritório	Projetos arquitetônicos	Investigou	Reparou um objeto	Empatia	Persuadiu/influenciou
Operação mecânica	Dramatização	Trabalho de laboratório	Programação	Hospedou	Promoveu
Programação de computadores	Edição	Leu publicações técnicas ou científicas	Pesquisou ou navegou	Entrevistou	Gerenciou o próprio negócio
Compras	Execução de música	Resolveu problemas técnicos ou científicos	Curso vocacional	Fez amigos	Vendeu
Gravação/transcrição	Curso de arte	Estudou assunto especializado	Solucionou problemas de equipamentos	Participou de serviço religioso	Falou em público
Trabalho de secretariado	Fotografias	Curso de ciências	Utilizou ferramentas/equipamento pesado	Ensinou, instruiu	Supervisionou/gerenciou outros
Curso de negócios	Escreveu/publicou	Escreveu ou editou artigo técnico	Trabalhou ao ar livre	Trabalho voluntário	Curso de gestão

MARQUE CADA COLUNA

 página 107 Refletir

e. Dez Melhores e Cinco Favoritas

Posicione suas dez principais atividades através da contagem do número total de marcas de seleção em cada célula.

Dez Melhores Atividades

1
2
3
4
5
6
7
8
9
10

Em seguida, identifique suas cinco atividades favoritas, não importa quantas marcas de verificação receberam. Dê uma olhada no que você escreveu para parte B na página 102. Alguma dessas são suas atividades favoritas? Será que todas elas receberam muitas marcas de verificação, ou algumas delas são itens que você gostaria de passar mais tempo fazendo?

Minhas Cinco Atividades Favoritas

1
2
3
4
5

f. Defina o que Você *Pode* e *Quer* Fazer

De suas Dez Melhores e Cinco Favoritas, identifique três atividades que você ficou animado por — e é capaz de — usar no trabalho.

Posso e Quero Fazer

1
2
3
4
5

Seção 2 página **108**

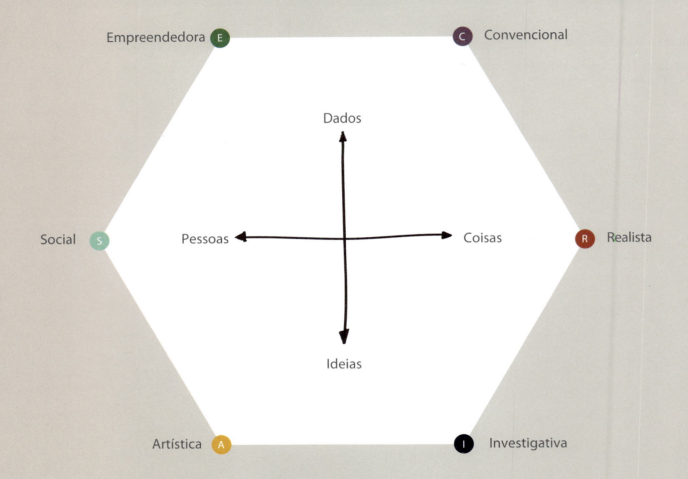

Personalidade e Ambiente

Este exercício, com base numa conhecida metodologia de avaliação e aconselhamento de carreira, ajuda você a entender as escolhas de trabalho em termos de sua personalidade — bem como ambientes que harmonizam (ou conflitam) com ela.[11]

John Holland foi um psicólogo dos EUA cujas teorias sobre escolhas profissionais foram testadas e validadas por muitos pesquisadores durante várias décadas. Teorias de Holland formam a base para o inventário de interesses vocacionais mais amplamente utilizado do mundo e para várias classificações e publicações do United States Department of Labor.

Décadas atrás, Holland teve uma percepção fundamental do que hoje parece óbvio: os interesses vocacionais são uma expressão da personalidade. Em outras palavras, as ocupações representam um modo de vida — *um ambiente em vez de um conjunto de funções de trabalho ou habilidades isoladas.*[12]

Isto significa que as pessoas expressam suas personalidades através de escolhas vocacionais, assim como expressam suas personalidades ao selecionar os amigos, hobbies, recreações e escolas. Igualmente importante, isso significa que a satisfação com a carreira depende de uma boa correspondência entre a personalidade do trabalhador e o ambiente de trabalho (nota importante: "ambiente de trabalho" principalmente significa *outras pessoas no local de trabalho*).

Para ajudar as pessoas a entender os interesses vocacionais como uma expressão da personalidade, Holland definiu seis diferentes tendências de personalidade (tipos), enfatizando que cada pessoa é uma *mistura* de múltiplas tendências. Algumas tendências são simplesmente mais proeminentes do que outras.[13]

Seção 2   página 110

Seis Tendências de Holland

S Social

Prefere trabalhar com pessoas para informar, desenvolver, ajudar ou curar. Capacidade interpessoal/educacional. Tende a evitar atividades exigidas por ocupações ou situações realistas.

A Artística

Prefere manipulação física de intangíveis ou materiais para criar formas de arte ou produtos. Capacidade artística/de linguagem/musical. Tende a evitar atividades estruturadas ou ocupações convencionais.

I Investigativa

Prefere investigação/pesquisa física, biológica, cultural ou de fenômenos. Habilidade científica/matemática. Tende a evitar atividades solicitadas por ocupações ou situações de caráter empreendedor.

NOTAS DO DISCURSO À EQUIPE

C Convencional

Prefere organizar/processar dados em situações estruturadas. Capacidade escriturária/computacional. Tende a evitar ocupações ou atividades ambíguas, livres e não estruturadas.

E Empreendedora

Prefere influenciar/liderar os outros para atingir as metas organizacionais ou ganho econômico. Capacidade de liderança/persuasão. Tende a evitar ocupações ou situações investigativas.

R Realista

Prefere trabalhar com ferramentas, máquinas, ou animais, muitas vezes ao ar livre. Habilidade mecânica/atlética. Tende a evitar atividades exigidas pelas ocupações ou situações sociais.

Descubra sua Tendência de Personalidade-Chave

Para aguçar a sua compreensão de suas próprias tendências de personalidade, volte à tabela na página 106. As seis tendências de personalidade estão codificadas por cores nas colunas de Atividade: roxo, amarelo, azul, vermelho, verde-água e verde. Cada cor representa uma das seis tendências de personalidade.

Escreva os totais de coluna da página 106 para as cores correspondentes no hexágono da página 113. Se você marcou mais azul do que qualquer outra cor, sua principal tendência de personalidade é "investigativa".

Conhecer as seis tendências não só ajuda a compreender melhor a nós mesmos — ajuda-nos a melhor compreender os nossos ambientes de trabalho, que são compostos principalmente de *outras pessoas*.

De fato, ambientes de trabalho, semelhante às pessoas, podem ser descritos usando as seis tendências. Um banco é um bom exemplo de um ambiente Convencional, enquanto uma agência de publicidade é um bom exemplo de um ambiente Artístico. Satisfação com a carreira depende, em grande parte da compatibilidade entre o ambiente de trabalho e a personalidade do trabalhador.

Por exemplo, pessoas com fortes tendências artísticas tendem a ficar insatisfeitas em ambientes Convencionais de trabalho, tais como bancos ou seguradoras. Da mesma forma, um trabalhador convencional dificilmente prospera em um ambiente de trabalho Artístico, tal como uma agência de publicidade ou um teatro. Quem é você (Recursos Principais) "controla" o que você faz (Atividades-Chave); os dois devem se harmonizar.

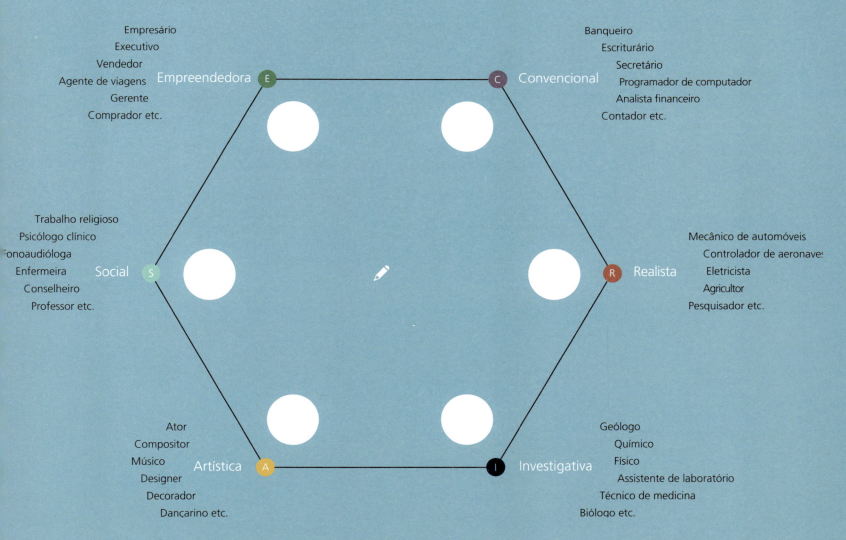

Seção 2   página 114 👁

Interesses

Tecnologia/software
Aprender novas habilidades
Desenvolvimento pessoal
Aventura
Variedade

Competências e Habilidades

Análise de problemas
Geração de ideias
Desenvolvimento de
soluções
Iniciação de ação
Trabalhar bem com os
outros

Personalidade

Investigativa,
Social, Criativa,
Empreendedora
Trabalhando com pessoas
direcionadas para uma
solução que valoriza
pensamento analítico e
investigação

"Percebi que gosto de analisar e resolver problemas, mas é importante que eu tenha a capacidade de trabalhar e ajudar os outros, assim como a de criar, desenvolver e implementar ideias e soluções."

– Darcy Robles

PONTO-CHAVE:
CONHEÇA A SI MESMO

PERFIL:
O PROGRAMADOR DE COMPUTAÇÃO

Às vezes, ajustar o "espaço" entre o trabalhador e o ambiente de trabalho pode aumentar drasticamente a satisfação, como Sean Backus pode contar.

Na faculdade, Sean tinha uma carga horária em período integral, enquanto trabalhava de 15 a 20 horas por semana como programador de computação. Ele se destacou na programação, tanto quanto em ciência da computação e em seu trabalho de meio período. Os professores de Sean elogiaram sua experiência e encorajaram-no a explorar e avançar. Além disso seu empregador, a desenvolvedora de software Credence Systems, gostava de seu trabalho tanto que lhe ofereceu um emprego em tempo integral após a formatura.

Sean assumiu o cargo na Credence. Ele conhecia e gostava de programação e ficou emocionado com a oportunidade de começar uma carreira logo após se formar.

Contudo, Sean ficou surpreso ao descobrir que o trabalho na Credence o deixava para baixo. Atribuindo isso ao fato de ter ingressado na empresa errada, saiu e conseguiu um emprego em uma empresa de programação de software diferente. Mas logo ele frustrou-se lá também e mudou para um terceiro emprego. Então, ele estava mais uma vez experimentando sentimentos semelhantes.

Neste ponto, Sean estava com raiva — e desesperado. Com dois anos de formado, ele tinha saído de dois empregos e começado um terceiro. Ele questionou se havia escolhido o curso certo na faculdade. Perdido, ele procurou ajuda de uma conselheira vocacional, ela recomendou que ele passasse algumas semanas focando não simplesmente na busca de um emprego novo, mas na aprendizagem sobre Sean Backus, a pessoa. Ele concordou.

Com entrevistas e ferramentas de avaliação, a conselheira ajudou Sean a identificar suas fortes tendências Sociais. Na verdade, Sean descobriu que ele era uma pessoa cordial "que se relacionava bem com pessoas" e que aconteceu de ter fortes habilidades mecânicas naturais. Durante a faculdade, interações com colegas e corpo docente tinham preenchido suas necessidades sociais, enquanto o trabalho de programação em tempo parcial tinha sido um interessante atrativo pessoal e uma fonte de renda bem-vinda. Porém, ser um funcionário em tempo integral, sentado em frente de uma tela de computador o dia todo o sugava, frustrando-o.

Sean percebeu que, enquanto ele gostava de tecnologia, não tinha interação social suficiente no trabalho e necessitava lidar mais com as pessoas. Depois de discutir a situação com o seu empregador, ele pode ser transferido para uma posição que envolvia ensinar habilidades de computação para outros funcionários. Sua satisfação com o trabalho aumentou.

Sean aprendeu que os Recursos Principais estavam ligados a outros elementos do seu modelo de negócios pessoal:

Interesses, habilidades e capacidades

Os interesses, habilidades e capacidades de informática de Sean eram genuínos — e um importante Recurso Principal. Então, até o momento em que ele ficou extremamente frustrado com o trabalho de programação em tempo integral, Sean sentia pouca necessidade de autodescoberta. Depois que ele refletiu, porém, descobriu outros interesses, habilidades e capacidades importantes, particularmente *facilitando* e *instruindo*. Estas Atividades-Chave foram completamente ausentes em sua vida profissional, algo que estava aumentando a Estrutura de Custo "leve", sob a forma de frustração e insatisfação.

Personalidade

Sean aprendeu sobre o lado "programador" Convencional de sua personalidade, mas também descobriu que suas tendências Sociais ligeiramente superavam suas inclinações Convencionais. Empregos de programação somente o frustravam, porque o ambiente de trabalho imediato harmonizava apenas com um aspecto de sua personalidade: a tendência Convencional pela estrutura, organização e previsibilidade.

Lócus de controle

Sean gostava de computadores, mas nunca deliberadamente definiu a si mesmo como um programador. Em vez disso, parceiros, professores e colegas forjaram a definição de "Sean programador", através do seu louvor e afirmação. Este incentivo, além da oferta não solicitada de emprego em tempo integral da Credence, tornaram natural para Sean adotar a definição de "programador" sem refletir em sua verdade. Essa adoção foi tão completa que Sean atribuiu os problemas de sua carreira a fontes externas (empregadores) ao invés de fontes internas (falta de harmonia entre Recursos Principais e Atividades-Chave resultante da falta de autoconhecimento).

PONTO-CHAVE:

APRENDA COM A PERSPECTIVA DO OUTRO

PERFIL:

A ESTUDANTE DE MEDICINA

A decisão de buscar a Medicina foi tomada unicamente por Khushboo Chabria. Ela não foi forçada pela família ou amigos, na verdade, os pais esperavam que ela tentasse um curso menos desafiador, para que ela rapidamente se estabelecesse em uma nova vida como esposa e mãe.

Ainda assim, o coração de Khushboo tinha definido, há anos, que ela deveria se tornar médica. E determinada como ela era, matriculou-se em Medicina na Universidade da Califórnia, em San Diego.

No final, a independência e resolução de Khushboo ofuscaram uma incompatibilidade grave entre seus objetivos e sua verdadeira natureza.

A introspecção apareceu durante uma entrevista para uma posição de laboratório com um professor de Química Orgânica. O professor perguntou a Khushboo sobre sua experiência extracurricular, incluindo seis meses de estágio em Washington, D.C., envolvendo a reforma da saúde.

O professor observou: "Seus olhos brilham quando você fala sobre o seu estágio, mas não quando fala de Ciência. Não parece que você está no lugar certo".

Khushboo começou a perceber que as coisas que ela se preocupava e gostava — o estágio, trabalhar em um programa habitacional de emergência para alunos, seu trabalho de meio período em marketing no escritório de atividades do campus — eram fundamentalmente diferentes das atividades envolvidas em tornar-se uma médica e exercer a função.

A epifania real veio durante uma conversa num café tarde da noite com uma amiga: "Você não está fazendo o que você realmente quer fazer.", insistiu: "Você não é uma pessoa que pertence a um jaleco branco.".

Khushboo afastou-se furiosa — em seguida, percebeu que ela estava com raiva porque a amiga estava certa. Suas tendências Sociais e Empreendedoras superaram muito suas inclinações Investigativas.

Disse ela: "Crescendo não reconheci que as coisas que você precisa aprender para se tornar um médico não foram suficientemente interessantes para mim. Eu não teria sido capaz de descobrir quem eu era sem a ajuda de outros apontando quais atividades realmente me satisfaziam.".

Khushboo estuda agora Desenvolvimento Humano e Psicologia cujas aspirações de Pós--Graduação envolvem uma mistura de psicologia social, inovação e políticas públicas.

Passe algum tempo com "alguém de confiança"

A experiência de Khushboo mostra quão poderosamente uma terceira parte confiável pode ajudar em decisões relacionadas à carreira. Projetamos o *Business Model You – O Modelo de Negócios Pessoal* para servir de alguma forma como o seu outro de confiança. Mas quando se trata de autodescoberta, nada pode substituir um profundo diálogo cara a cara com a família, amigos, colegas ou profissionais de orientação de carreira.

Seção 2 página 120

Que Tipo de Pessoa É Você?

Aqui está um simples, mas poderoso, exercício de autodescoberta que você pode fazer com um amigo, colega, supervisor, ou outro parceiro que tenha uma visão de sua personalidade e caráter.

página 121 **Refletir**

1. Faça algumas cópias da lista de qualidades pessoais das páginas 122-123. Em uma cópia, circule as qualidades pessoais que melhor descrevem você. Continue até você ter uma dúzia ou mais.

2. Descreva o que as palavras selecionadas significam para você. Se você marcou Resistente, por exemplo, você pode escrever "Sempre fico com um projeto até o fim e raramente me desvio.".

3. Pegue uma cópia nova, não marcada da lista de palavras, com um amigo, colega, empregador, membro da família ou outro parceiro de confiança. Peça a essa pessoa para olhar uma dúzia ou mais palavras que ele ou ela acredita que descrevem-no bem. Aqui está uma forma de introduzir o exercício:

"Estou tentando ter uma ideia de como outras pessoas me veem. Você pode circular uma dúzia de palavras que me descrevem bem a partir da sua perspectiva?".

4. Converse com seu parceiro sobre o porquê de circular determinadas palavras. Você pode começar a discussão assim:

"Você circulou *Criativo*. Como a minha criatividade se manifesta? Quão importante você diria que a criatividade é para mim como uma pessoa? O que mais devo saber sobre o porquê você marcou *Criativo*?".

5. Repita o exercício com tantos outros confiáveis que puder. Depois de três ou quatro sessões, alguns temas comuns devem emergir. Como a percepção dos outros se alinha com sua autopercepção? Você pode descobrir uma força pessoal que nunca reconheceu![14]

Seção 2 página 122

Aberto	Automotivado	Construtor de Equipe	Diligente
Acadêmico	Aventureiro	Contente	Dinâmico
Adaptável	Bacana	Conveniente	Diplomático
Afetuoso	Bem-sucedido	Cooperativo	Direto
Agressivo	Bondoso	Corajoso	Disciplinado
Alegre	Calmo	Criador	Discreto
Aliviado	Carismático	Crível	Divertido
Ambicioso	Cauteloso	Cuidadoso	Dominante
Amigável	Cessante	Curioso	Eficaz
Amoroso	Cético	Decisivo	Eficiente
Analítico	Chato	Delicado	Emocional
Animado	Ciumento	Dependente	Emocionante
Ansioso	Clemente	Deprimido	Empático
Apavorado	Competente	Derrotado	Empreendedor
Apoiador	Competitivo	Desafiador	Empresarial
Apreciativo	Completo	Desamparado	Esclarecedor
Apreensivo	Comprometido	Desanimado	Especialista
Arrumado	Conciliador	Desapontado	Enérgico
Arteiro	Confiante	Desdenhoso	Enganado
Articulador	Confiável	Desorganizado	Engenhoso
Assertivo	Conformado	Despreendido	Engraçado
Astuto	Confuso	Despreocupado	Entendedor
Autoconfiante	Conhecedor	Determinado	
Autocontrolado	Conservador	Devagar	
Autocrítico	Consistente	Diferente	

página 123 **Refletir**

Entusiasta	Histérico	Julgador	Paciente	Quente	Suspeito
Envergonhado	Humilde	Leal	Penetrante	Racional	Tagarela
Espirituoso	Idealista	Letrado	Pensador Abstrato	Raivoso	Talentoso
Espontâneo	Idiota	Lógico	Pensador Estratégico	Rancoroso	Tenaz
Estável	Imaginativo	Louco	Perceptivo	Rápido	Tenso
Estimulador	Impaciente	Maduro	Perdido	Realista	Teórico
Excepcional	Impulsionado pela Realização	Mal-humorado	Perseverante	Reativo	Tímido
Experiente	Impulsivo	Marcante	Persistente	Reflexivo	Tolerante
Fechado	Incerto	Medroso	Persuasivo	Rejeitado	Tolo
Feliz	Incomum	Meigo	Pioneiro	Reservado	Tonto
Flexível	Indeciso	Metódico	Pontual	Resiliente	Tradicional
Focado	Independente	Modesto	Positivo	Responsável	Tranquilo
Focado no Cliente	Indiferente	Motivado	Pragmático	Ressentido	Triste
Forte	Individualista	Mutável	Prático	Satisfeito	Triunfante
Fraco	Industrial	Objetivo	Preciso	Seguro	Único
Franco	Influente	Ofendido	Preocupado	Sensível	Útil
Frio	Inovador	Oficial	Preso	Sereno	Versátil
Frustrado	Intelectual	Ordenado	Previsível	Simpático	Viciado
Fundamentado	Intencional	Organizado	Privado	Sincero	Vigoroso
Generoso	Interrogador	Orgulhoso	Proativo	Sociável	Vingativo
Grato	Introspectivo	Orientado pela Ação	Proficiente	Sofisticado	Visionário
Grave	Irritado	Orientado por Detalhes	Propositor	Sombrio	
Grosseiro	Jogador da Equipe	Orientado por Tarefas	Prosaico	Suave	
Hipócritas		Ousado	Protetor	Surpreso	

Seção 2 página 124

Definindo o Trabalho, Definindo a Nós Mesmos

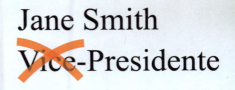

O que é trabalho para você?

Podemos não estar na iminência de uma demissão. Podemos nem mesmo sentir nada de ruim. Mas por alguma razão, muitos de nós estão no piloto automático na carreira — como Andrea estava antes de perder seu emprego. Estamos indo mais ou menos bem, mas nossa direção e velocidade são definidas mais por impulso do que intenção. Poderemos até ficar satisfeitos na medida em que o nosso trabalho é construído sobre interesses fundamentais. Mas a satisfação muitas vezes desaparece quando deixamos de pilotar nossos próprios aviões.

Uma maneira de descobrir se você está no piloto automático — e ajudar a desenvolver o processo de autorreflexão — é pensar sobre o lugar de trabalho atual em sua vida e se esse lugar corresponde ao verdadeiro significado do trabalho para você.

Apesar de nossas dimensões variadas (que acabamos de explorar!), muitos de nós definem a nós mesmos em primeiro lugar pelos nossos empregos. Estranhos muitas vezes quebram o gelo perguntando: "Então, o que você faz?".

Como se vê, o trabalho pode ter significados muito diferentes para pessoas diferentes. E o que o trabalho significa para você é uma grande parte de *quem* você é.

Tradicionalmente, especialistas atribuíram três significados para trabalhar:

Trabalho como Emprego

Isto significa trabalhar em prol de um salário, sem muito envolvimento pessoal ou satisfação.

Roy Baumeister descreve este modo de pensar no livro *Meanings of Life*: "O trabalho é uma atividade instrumental, isto é, algo feito principalmente por causa de outra coisa.".

Ainda assim, os trabalhos podem produzir sentimentos valiosos de habilidade e satisfação, para não mencionar o sustento que permite a um trabalhador manter significado em outras áreas da vida.

Trabalho como Carreira

Trabalho como carreira é motivado pelo desejo de sucesso, realização e status. A abordagem do carreirista para o trabalho não é um apego apaixonado pelo trabalho em si, Baumeister escreve. Em vez disso, ele "Enfatiza o feedback sobre si mesmo que vem em resposta ao trabalho. Para o carreirista, o trabalho é o meio de criar, definir, expressar, provar e glorificar a si mesmo.". Trabalho como carreira pode ser uma importante fonte de sentido e preenchimento na vida.

página 125 **Refletir**

Trabalho como Vocação

Como mencionado na reportagem sobre Carol, na próxima página, a palavra vocação deriva da ideia de que se é chamado a fazer um certo tipo de trabalho: ou externamente, por Deus ou comunidade, ou internamente, por uma expressão de um dom natural. É feito "sem um senso de obrigação pessoal, dever, ou destino", Baumeister diz.

Além destas três categorias tradicionais, sugerimos uma quarta: Trabalho como Realização.

Trabalho como Realização

Trabalho como realização é melhor descrito como uma abordagem orientada por um forte interesse (ou até mesmo passional) pelo trabalho — mas sem a esmagadora, abrangente natureza de uma "vocação". Pessoas que veem o trabalho como realização podem escolher carreiras não convencionais que favoreçam interesses pessoais sobre a recompensa financeira, reconhecimento ou prestígio. Tal trabalho pode ser uma importante fonte de sentido na vida.

É evidente que estas quatro categorias se sobrepõem, e qualquer trabalho pode conter elementos de cada um. As categorias, no entanto, sugerem como o trabalho pode fornecer para nós mais ou menos significado em nossas vidas.

Por exemplo, pessoas com "empregos" podem ter mais significado e satisfação da família, hobbies, religião, ou outras atividades não trabalhistas.

"Carreiristas", por outro lado, tendem a ter muito do significado da sua vida investido no trabalho. Alguns podem sacrificar família ou outros interesses, a fim de crescer no mundo e conseguir mais prestígio, riqueza ou reconhecimento.

Alguns daqueles que são "chamados" podem experimentar grande realização espiritual e ser um profissional de sucesso. Porém, outros podem sofrer privações desconhecidas aos empregados convencionais (artistas plásticos e missionários vêm à mente).

Finalmente, aqueles que trabalham pelo preenchimento podem encontrar muito do sentido da vida no trabalho, talvez sem sacrificar a família e outros interesses.

Uma Mensagem aos Inseguros

Robert Symons, um psicoterapeuta e conselheiro vocacional residente em Londres, sorriu com empatia enquanto Carol, uma advogada tributarista, chorava copiosamente.

Sr. Symons tinha feito à sua cliente a pergunta direta: O que houve com a criança espontânea, animada que você deve ter sido no passado? Depois, quando questionado sobre a cena, Sr. Symons notou que ele tinha visto isto repetidas vezes ao longo dos anos.

O que está por trás da resposta emocional de Carol — e das respostas semelhantes de muitos outros? Symons explicou que:

> . . . a ilusão mais comum e inútil que assola aqueles que vieram até ele foi a ideia de que eles deveriam de alguma forma, no curso normal dos acontecimentos, ter intuído — muito antes de terem se formado, começado suas famílias, comprado casas e chegado ao topo de seus escritórios de advocacia — o que deveriam corretamente fazer com suas vidas.[15]

Sr. Symons passou a descrever como seus Clientes eram "atormentados por uma noção residual de ter através de algum erro ou estupidez da sua parte perdido sua verdadeira 'vocação'.

Em outras palavras, as pessoas acreditavam que foram feitas para buscar uma carreira particular — aquela em que tinham tanto sucesso quanto satisfação — mas falharam em encontrá-la.

De onde as pessoas tiram essa ideia?

A noção de "chamado" teve origem na Idade Média, e se referiu a um encontro repentino com um enviado dos céus para dedicar-se aos ensinamentos Cristãos. De acordo com Symons, uma versão não religiosa desta ideia sobreviveu, e continua a confundir muitos trabalhadores hoje em dia. O entrevistador de Symons descreve o conceito como:

> . . . propensos a nos torturar com uma expectativa de que o sentido das nossas vidas poderia, em algum momento, ser revelada em nós em uma fórmula pronta e decisiva, a qual nos tornaria permanentemente imunes aos sentimentos de inveja, confusão e arrependimento.[16]

Muitas pessoas sentem que, se não têm uma verdadeira "vocação", eles estão de alguma forma deixando de otimizar suas vidas profissionais. Como eles podem abordar essas preocupações? Como conselheiro vocacional profissional, o Sr. Symons aponta uma ideia reconfortante do psicólogo humanista Abraham Maslow:

Não é normal saber o que queremos. É uma realização psicológica rara e difícil.
– Abraham Maslow

Como Você Gasta a Maior Parte do Seu Tempo?

Para muitos de nós, é um grande alívio aprender que não saber o que queremos é normal em vez de excepcional.

Muitas pessoas acham reconfortante reconhecer que:

- Não existe um único ou correto "significado" do trabalho.
- A vida oferece muitas fontes de satisfação e realização, tanto relacionadas quanto não relacionadas ao trabalho
- Nossas ideias sobre o trabalho — e as nossas capacidades de fazer determinado trabalho — mudam com a idade
- Você não é definido pelo seu trabalho — a menos que você queira ser

Todos decidimos por nós mesmos, à medida que nos identificamos com a nossa carreira; não há certo ou errado. Mas muitos acham persuasiva a sugestão do escritor Leil Lowndes de substituir o clichê da conversa inicial "O que você faz?" por uma pergunta muito mais convidativa e que honra a autodefinição de qualquer um: Como você gasta a maior parte do tempo?[17]

- Qual o papel que o trabalho desempenha em sua vida hoje?
- É um emprego, carreira, vocação ou realização? Uma combinação?
- Como o seu atual local de trabalho corresponde às suas convicções sobre o verdadeiro significado da sua vida?

página 129 **Refletir**

O CHECK-IN: ONDE ESTIVEMOS ATÉ AGORA

Até este ponto, discutimos o pensamento do modelo de negócios, os conceitos básicos de sustentabilidade financeira e o motivo pela qual todas as organizações — sociais, com ou sem fins lucrativos — devem obedecer a lógica de ganhar o sustento.

Vimos como o pensamento do modelo de negócio ajuda organizações — e indivíduos — a reinventar-se em resposta às mudanças sociais, econômicas e tecnológicas.

Depois, abordamos como você pode usar o Canvas para descrever o seu modelo de negócios pessoal.

Neste capítulo, você reexaminou suas importantes (múltiplas!) funções fora do trabalho, os principais interesses, habilidades e atividades em que você encontra satisfação, suas principais tendências de personalidade, como os ambientes de trabalho têm a suas próprias "Personalidades", a importância de envolver pessoas de confiança no processo de autodescoberta, significado e o lugar do trabalho em sua vida.

PARA ONDE VAMOS A PARTIR DAQUI

É hora de enfrentar a mais fundamental questão subjacente aos modelos de negócios, seja organizacional ou pessoal.

É uma pergunta simples que é extraordinariamente desafiadora de responder: Qual é o seu propósito?

CAPÍTULO 5
Identifique o Seu Propósito de Carreira

PONTO-CHAVE:

PROPÓSITO VENCE HABILIDADES

PERFIL:

O HISTORIADOR

Adrian Haines acredita no poder do passado. Ele é Mestre em História Medieval e trabalhou em ou com museus na maior parte de sua vida profissional. Cinco anos atrás, ele se mudou para os subúrbios de Amsterdã para o trabalho dos sonhos: ajudar um editor de livros históricos a conceber e criar novos títulos no âmbito de parcerias com curadores de museus e bibliotecários. Mas o tempo passou, e duas coisas fizeram Adrian perceber que ele precisava reinventar sua carreira.

Primeiro, ele havia se frustrado com a relutância de sua entidade patronal em abraçar publicações digitais e meios de comunicação social. Em segundo lugar, sua esposa sentia falta de viver na cidade e estava ansiosa por voltar.

Adrian soube que uma grande biblioteca nacional estava aceitando currículos para um "líder de um projeto de digitalização". Adrian percebeu que a função era perfeita para seu currículo e interesses, mas acreditava que ele não tinha as habilidades de gestão necessárias para trabalhar para uma organização maior e mais burocrática. Sendo assim, consultou o membro do Fórum Mark Nieuwenhuizen pedindo ajuda para redefinir o seu modelo de negócios pessoal.

A primeira observação de Mark foi que Adrian estava muito focado em detalhes, especificamente se ele tinha as habilidades profissionais e gerenciais necessárias para executar o trabalho. Então, Mark sugeriu que Adrian se concentrasse em seu Propósito e Proposta de Valor.

Depois de alguma consideração, Adrian reconheceu que sua Proposta de Valor — e sua verdadeira paixão — era "resgatar a história do museu empoeirado e das paredes da biblioteca e colocar em locais onde todos pudessem usufruir dela". A percepção ajudou a entender sua frustração com o atual empregador e articular a sua convicção de que a história pode ser apreciada não só através da impressão e instalações físicas, mas através de meios digitais também.

Como Adrian estava disposto a tentar a nova função, Mark pediu-lhe para se concentrar menos em suas *habilidades* e muito mais em como seu Propósito se equiparava ao que a biblioteca *precisava*. Trabalhando com o Canvas, Adrian reconheceu que seu Propósito recém-articulado abriu vários caminhos de crescimento em potencial. Por exemplo, muitos dos Clientes atuais e passados de Adrian eram museus, assim ele tinha um network por meio do qual ele poderia procurar trabalho como gerente geral de um museu de médio porte ou como um curador de um museu maior.

Adrian estava com entrevista marcada para a nova posição quando *Business Model You* foi impresso. Qualquer que seja o caminho que tomar, ele agora reconhece que Propósito ganha de Habilidades:

"É incrível como muitas possibilidades profissionais aparecem quando você usa Valor e Propósito — ao invés de habilidades — como pontos de partida para reinventar sua carreira.".

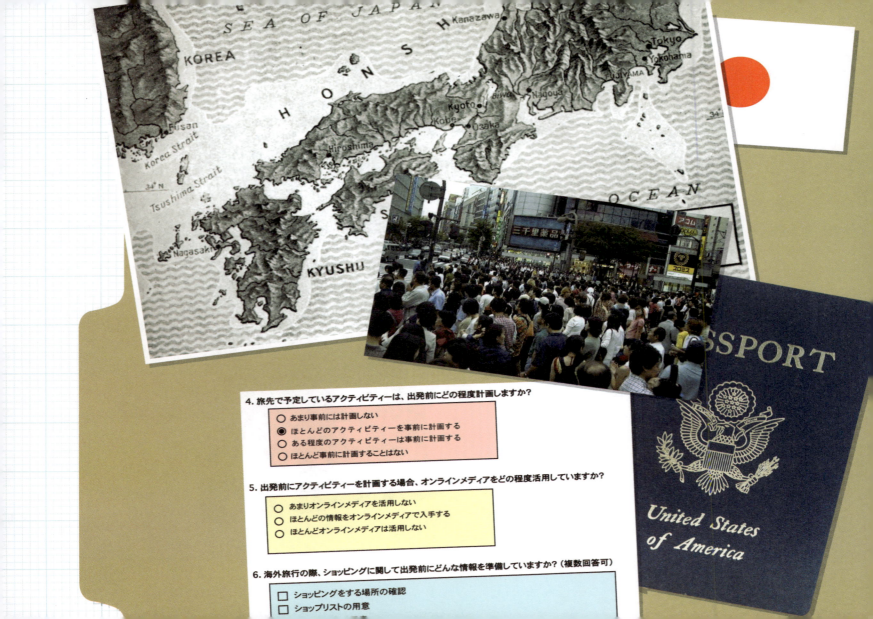

PONTO-CHAVE:
QUANDO NÃO É SOBRE VOCÊ

PERFIL:
O EMPREENDEDOR

A empresa que comecei fazia pesquisa e consultoria para empresas que desejavam entrar nos mercados asiáticos, particularmente no Japão. Depois de mais de seis anos de trabalho duro, recebemos uma oferta de compra de vários milhões de dólares. Isso tudo foi novo para mim; quando comecei nem sabia que as pessoas vendiam as empresas.

De qualquer forma, paguei três hipotecas, maximizei as poupanças de faculdades das crianças, levei a família para belas férias e investi o restante para proporcionar uma renda passiva. Mas, como todas as outras pessoas, eu ainda enfrentava a grande questão: O que vou fazer pelo resto da minha vida?

De certa forma, essa questão ficou mais difícil justamente *porque* eu tinha sido aliviado da pressão de precisar ganhar meu sustento. Procurar por respostas afiou minha consciência de que o trabalho é mais do que alcançar a independência financeira.

Acho que a maioria dos empreendedores bem-sucedidos se sentem da mesma maneira. Eu já falei com muita gente que, juntas, já venderam dúzias de empresas por quantias que variam de $1 a $40 milhões, ninguém nunca mencionou "alcançar a independência financeira" como sua principal motivação para trabalhar.

Os caçadores de fortuna raramente podem sustentar a sua paixão durante tempos difíceis. Empresas de sucesso são muito focadas na Proposta de Valor fornecida aos Clientes. Empreendedorismo não é sobre você; trata-se de efetivamente servir aos outros.

NOME: CARL JAMES

137

Levante a Bandeira do Seu Propósito!

Vamos rever a analogia que introduzimos no Capítulo 2: modelos de negócios são como plantas. Eles guiam a construção de um negócio, assim como uma planta guia a construção de um edifício. Agora, vamos estender a comparação.

A fim de criar um projeto, o arquiteto deve compreender a finalidade do edifício a ser construído.

Por exemplo, se os inquilinos serão médicos e dentistas, o edifício precisa ser projetado para acomodar salas de espera, salas de exame, um monte de pias e de banheiros e equipamentos pesados, montados na parede, como máquinas de raio-x.

O objetivo é igualmente importante ao criar uma organização ou negócio do zero. O objetivo da organização orienta o projeto do seu modelo de negócios. Nesse sentido, Propósito é um elemento crucial "fora do Canvas". É também uma restrição significativa do projeto: afinal, nenhuma organização — ou construção — pode ser projetada para ser todas as coisas para todas as pessoas.

O mesmo vale para modelos de negócios pessoais. Modificar ou reinventar um modelo de negócios pessoal pede que primeiro esclareçamos seu Propósito fundamental. Considere Propósito uma "meta camada" orientando o seu modelo de negócios pessoal. Levante sua bandeira do Propósito bem para o alto!

"Se você não realinhar o seu trabalho com seu Propósito, você só está deslocando o problema para outra mesa."
– Bruce Hazen

Por outro lado, o trabalho alinhado com o Propósito impulsiona carreiras — e faz crescer a satisfação.

Onde começar

Na página anterior, Carl James observa que empreendedorismo é sobre servir aos outros. Também sugerimos que o objetivo maior de nossas vidas é ajudar aos outros. Como empreendedores bem-sucedidos sabem, mesmo alguém cujo objetivo é acumular uma fortuna só pode ter sucesso *com a venda de serviços ou produtos que ajudam às pessoas de alguma forma.*

Todavia, como reconhecer e/ou moldar o seu Propósito? As próximas três experiências podem ajudá-lo a responder a essa questão crucial.

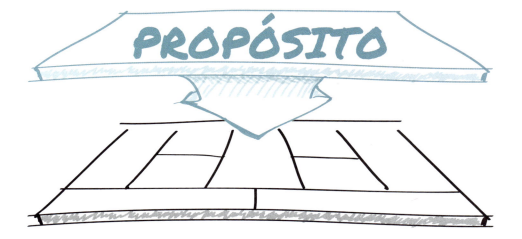

Você na Matéria de Capa!

Este exercício foi criado por David Sibbet.[18] Ele desafia a imaginação e ajuda os participantes a ligar propósito e interesses fundamentais.

Imagine que se passaram dois anos e um veículo de comunicação importante quer fazer uma grande matéria sobre você, com citações e uma foto sorridente. Incrível!

1. Qual é o nome do veículo de comunicação? Escolha uma revista, jornal ou programa real que você teria orgulho de aparecer.
2. Qual é a história? Por que você está aparecendo?
3. Anote algumas citações da entrevista. Você poderia até mesmo criar uma colagem de citações, com inserções (laterais), cortados a partir de imagens de revistas ou diagramas.

Este exercício é especialmente eficaz para grupos de três ou mais que possam compartilhar e discutir as suas "matérias de capa".

PERFIL:
A PROFESSORA

NOME: MEGAN LACEY

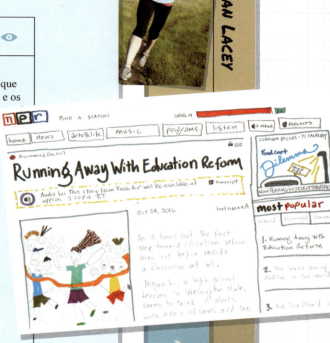

EXERCÍCIO:
VOCÊ NA MATÉRIA DE CAPA!

1. Estou sendo entrevistada por Terry Gross no programa *Fresh Air*, da National Public Radio, para falar sobre um programa de corrida após as aulas que iniciei na escola em que trabalho. O programa começou como um esforço para melhorar as taxas de frequência e os níveis de motivação.

2. No início, eu simplesmente reunia um punhado de alunos — todos os dias depois da escola — e os ajudava a treinar para uma corrida. Conforme o tempo passava, mais alunos entravam, e acrescentei mais componentes ao programa. Estudantes foram voluntários em corridas, membros da comunidade ajudaram com o transporte e treinamento. Eventualmente, eu trabalhava com a escola para integrar ideias do programa de corrida no currículo principal da escola.

   As taxas de frequência e os níveis de motivação aumentaram. Inesperadamente, também aumentaram as notas nos testes estaduais — bem como as do vestibular. Como resultado, vários outros distritos adotaram o programa.

3. NPR: você começou com apenas poucos estudantes — como você conseguiu recrutar os primeiros?

   Prometi pagar a taxa de inscrição na corrida para qualquer um que viesse a cada sessão. Quando você diz que vai pagar por algo, as crianças escutam.

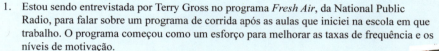

"Os alunos precisavam ver que a escola tem aplicação imediata — é mais do que preparação para os objetivos aparentemente distantes de faculdade e emprego."

"Eles ficaram fora de problemas, permaneceram saudáveis e conectados com a comunidade e o currículo."

As Três Perguntas

Aqui está outro exercício ideal para realizar com um parceiro ou pequeno grupo. Os participantes podem anotar os seus pensamentos, depois compartilham com os outros e discutem.

1. Pense sobre as várias vezes em que você se sentiu realizado (revisitar a descoberta da Linha da Vida na página 99 para recordar eventos específicos). O que você estava fazendo? Por que foi tão bom? Descreva esses sentimentos o mais especificamente que você puder.

2. Cite um ou mais dos seus modelos. Quem você mais admira e por quê? Escreva várias palavras que descrevam essa pessoa. Por exemplo, um membro do Fórum colocou Nelson Mandela como um modelo. Ao fazer este exercício, ele escreveu *bondade*, *persistência ao enfrentar adversidades*, *reconhecimento* e *status*. Estas palavras ofereceram pistas para as coisas que ela valorizava em si mesma assim como nos outros.

3. Como você gostaria de ser lembrado por seus amigos? Anote algumas das coisas que você espera que eles digam sobre você depois que você se for.

PERFIL:

O INSTRUTOR TÉCNICO

NOME: RENATO NOBRE

EXERCÍCIO:
AS TRÊS PERGUNTAS

PERGUNTA 1:

Senti-me realizado enquanto trabalhava em uma empresa de software, especialmente quando treinava colegas e parceiros. Eu era capaz de ensinar o que sabia e, ao mesmo tempo, aprender com as experiências das outras pessoas. Acho que todos perceberam o impacto sobre a vida um do outro.

PERGUNTA 2:

Meu modelo é Zilda Arns, médica pediátrica brasileira que morreu em um terremoto no Haiti em 2010. Ela foi reconhecida por sua bondade, solidariedade e dedicação em combater a mortalidade infantil, desnutrição e violência doméstica.

PERGUNTA 3:

Eu gostaria de ser lembrado como bem-humorado, dedicado, apaixonado e honesto — alguém que amava sua família, que permitiu que ele próprio e os outros expressassem suas emoções e ainda teve a coragem de reinventar sua vida pessoal e profissional encontrando um novo significado.

143

Sua Vida Totalmente Nova

Um dia, você é surpreendido por um mensageiro que lhe entrega um envelope espesso de documentos legais. Seu tio Ralph, rico e excêntrico, morreu e deixou-lhe $18 milhões, mas você deve realizar duas condições para receber o dinheiro.

Tio Ralph pede que você saia do seu trabalho e busque duas tarefas de um ano. Durante estes dois anos, você receberá mensalmente um salário acrescido de reembolsos para despesas relacionadas com a realização das tarefas, tais como viagens e educação. No final do primeiro ano, você receberá uma quantia de $9 milhões e mais $9 milhões em um fundo a ser lançado após a conclusão do segundo ano.

1. Primeiro Ano, Primeira Tarefa

Passe este ano aprendendo coisas novas. Você NÃO é obrigado a frequentar uma faculdade, universidade ou qualquer outro programa formal de ensino. Você simplesmente deve usar seu tempo e energia para se concentrar intensamente em aprender coisas novas. Então, o que você aprenderia? Como você se desenvolveria?

2. Segundo Ano, Segunda Tarefa

Encontre uma causa para apoiar. Você tem um ano para investigar, participar, e, finalmente, selecionar uma causa ou um projeto que você realmente se importa com — algo que vai ajudar a humanidade (o bairro/cidade/país/mundo/meio ambiente etc.). No final do segundo ano, você deve doar $9 milhões de seu fundo fiduciário para a causa ou projeto que você selecionou. Que causa você vai escolher?

— Epílogo —

Seu Estilo de Vida Começando no Ano Três

Que tipo de estilo de vida que você vai desfrutar depois de completar as duas tarefas? Você tem $9 milhões. Onde você vai viver? Com quem? Como será que você gastará seu tempo? Quais atividades você vai buscar? O que você vai se esforçar para realizar?

PERFIL:
O BUSCADOR

NOME: HANK BYINGTON

EXERCÍCIO:
UMA NOVA VIDA

Coisas Novas que Eu Iria Aprender

Adoto a abordagem de Swami Rama de iluminação, como descreveu em seu livro *Living With the Himalayan Masters*: "Deixe o mundo ser pequeno para você. Deixe-se estar no caminho da espiritualidade.". Aqui estão informações específicas que vou explorar:

- Estudar português e fazer uma longa viagem para o Brasil.
- Aprender como terminar e vender uma das dúzias de ideias de livros que tive ao longo dos anos.
- Aprender as habilidades necessárias para me tornar um mestre contador de histórias multimídia: videografia, design e estratégias de conteúdo web e de blogs e gravação de música.
- Melhorar a minha forma física: bicicleta três dias por semana, fazer ioga e dança, e ajustar minha dieta para apoiar essas atividades.

Minha Causa Escolhida

Regularmente me pergunto: "Como posso me livrar da minha existência material para que eu possa voltar para a vida real?". Em minha busca por respostas, deparei-me com Jiddu Krishnamurti, um filósofo e educador nascido na Índia treinado nas tradições intelectuais tanto do Oriente quanto do Ocidente. Acredito que a mensagem de Krishnamurti sobre as relações humanas e a mudança social devem ser ouvidas em uma escala mais ampla, por isso vou ajudar a espalhar as ideias de Krishnamurti, trabalhando com e apoiando a Fundação Krishnamurti.

O Resto da Minha Vida

Daqui a três anos, estarei vivendo em uma pequena casa comprada no bairro de Santa Teresa, no Rio de Janeiro. Meu Português será consistente o suficiente para estabelecer relações com empresas brasileiras emergentes que desejam comercializar seus produtos nos EUA. Usarei o meu domínio sobre o idioma, assim como as então adquiridas habilidades e experiências em contar histórias digitais para gerar parcerias de negócios com essas empresas e vou, voluntariamente, usar meu tempo para ajudar os brasileiros pobres a adquirir os recursos e competências para se manter e melhorar suas condições de vida.

145

Declaração do Propósito

Seção 2 página 146

Você criou uma ótima matéria-prima para ajudar a identificar o seu Propósito de carreira. Agora é hora de criar uma:

Imagine que você é financeiramente independente — como você fez no exercício anterior — e pronto para começar a viver *exatamente* como você escolher. Anote seus pensamentos sobre esta nova vida aqui nas páginas deste livro, usando os três quadrados que seguem:

Atividades
Descreva três ou quatro atividades de que você mais gosta.

Pessoas

Descreva várias pessoas ou grupos de pessoas com quem você gostaria de passar o seu tempo.

Ajuda

Como você vai ajudar outras pessoas? Use três ou quatro palavras de ação (verbos) para descrever especificamente como você vai ajudar os outros.

Seção 2   página 148

 Use a seguinte frase não muito gramatical como base para sua Declaração de Propósito: "Eu gostaria de AJUDAR AS PESSOAS através dessas ATIVIDADES."   Em seguida, preencha a tabela a seguir com os verbos e substantivos que você escreveu nos canvas nas páginas 146-147. Ponha seus verbos e substantivos favoritos!

Eu gostaria de	ajudar (verbo)	pessoas (substantivo)	fazendo a **atividade** (verbo)

Aí está! Você criou algumas frases-chave (embora talvez sem sentido) poderosas para um Propósito autêntico e satisfatório. Considere este o seu primeiro projeto de uma Declaração do Propósito. Você vai querer brincar com as frases e reorganizar as palavras, mas você entendeu a ideia.

página **149** **Refletir**

Eis como um membro do Fórum do *Business Model You* começou a elaborar sua Declaração do Propósito:

Eu gostaria de	ajudar (verbo)	pessoas (substantivo)	fazendo a **atividade** (verbo)
	inspirar	profissionais inquietos	realizar
	apoiar	recém-formados	organizar
	simpatizar	jovens criativos	nutrir
	lembrar	meus heróis	compartilhar

Para tornar a Declaração do Propósito lógica do ponto de vista profissional, ela deixou seu parceiro (a sua primeira prioridade) de fora da coluna "pessoas" da tabela. Apesar de que suas frases não fizessem sentido, sua mensagem fundamental era clara e poderosa, e ela revisou para criar a seguinte Declaração do Propósito:

Gostaria de ajudar profissionais inquietos e jovens criativos a melhorar suas vidas inspirando e apoiando-os.

Colocando Propósito em Jogo

Você deve ter notado como a Declaração do Propósito assemelha-se ao Canvas do Modelo de Negócios Pessoal:

Ajudar significa *Proposta de Valor*

Pessoas significam *Clientes* (e colaboradores)

Atividades significam *Atividades-Chave*

Sua Declaração do Propósito é um passo crucial para redefinir seu modelo de negócios pessoal com base nas *Atividades* que gostaria de realizar para *Fornecer Valor* aos *Clientes*.

Seção 2   página 152

"Aqueles que não estão preparados para a apreensão de um grande propósito devem fixar seus pensamentos sobre a execução perfeita do seu dever, não importa o quão insignificante sua tarefa possa parecer. Só desta forma os pensamentos podem ser reunidos e focalizados, e resolução e energia podem ser desenvolvidos, isto feito, não há nada que não possa ser realizado."
— James Allen, As a Man Thinketh

E Se Você não Puder Definir o Seu Propósito?

E se você tiver problemas para definir seu Propósito? Em primeiro lugar, reconheça que você está praticamente sozinho:

Apenas **três porcento** de todas as pessoas têm a coragem de encontrar e seguir seus sonhos, de acordo com um escritor.[19]

Em segundo lugar, você ainda pode alcançar a excelência e satisfação, concentrando-se profundamente sobre qualquer que seja o trabalho que você faz.

Declaração do Propósito em Constante Mudança

Os cocriadores deste livro que trabalharam nesses exercícios mais de uma vez descobriram que os resultados mudam no espaço de vários meses.

É útil reconhecer as mudanças do Propósito ao longo do tempo — e por razões diferentes. Fase da vida é uma razão: as questões dos 20 anos de idade (estabelecer uma carreira, encontrar um parceiro etc.) são completamente diferentes das questões dos 55 anos de idade (ver as crianças fazerem a transição para a idade adulta, deixar um legado etc.)

Grandes eventos de vida (casamento, divórcio, nascimentos, mortes, novos empregos, doenças etc.) são outra razão para mudanças no Propósito. Finalmente, enquanto os nossos interesses centrais e habilidades tendem a permanecer estáveis ao longo do tempo, a forma de sua expressão pode evoluir.

Como o cocriador Laurence Kuek Swee Seng argumenta, "a Declaração do Propósito é um trabalho permanente em curso". Ele recomenda manter uma Declaração de Propósito arquivada — e atualizá-la regularmente, conforme sua vida e perspectivas mudam.

Metas versus Propósito

Muitos de nós temos objetivos na vida: a curto, médio ou longo prazo. Mas quantos de nós possuem o verdadeiro *Propósito*?

Metas diferem de Propósito. O empreendedor Oki Matsumoto faz a distinção, aconselhando as organizações que "visem a Estrela do Norte, não o Polo Norte.".[20]

O ponto de Matsumoto é que a Estrela do Norte representa a *visão* de uma organização: a força condutora que continuamente alinha os esforços de todos. Em contraste, o Polo Norte representa um objetivo que deve ser alcançado ou atingido — e uma vez que isto ocorre, é novamente substituído com um novo destino, e de novo e de novo.

Stephen Shapiro aplica pensamento semelhante aos indivíduos em seu provocativamente intitulado livro *Goal-Free Living* ("Viver Sem Metas"). Shapiro incentiva os leitores a "usarem uma bússola, não um mapa", e para "divagar com o propósito". A ideia é manter um senso de direção, em vez de lutar por um destino especificamente — para reunir novas informações à medida que você avança, e, com base nessa informação, confirmar que sua direção é verdadeira ou está no curso correto.

Seção 2 página 154

Os Cocriadores do BMY Levantam suas Bandeiras do Propósito!

我希望可以帮助各专业人士、企业家以及学生追求合资企业与各项目. 通过明确、优化及强化他们实现目标的努力. 成为他们的顾问、教练或合作者.

郭瑞承

Laurence Kuek Swee Seng
Malásia

Me gustaría ayudar a profesionales cualificados con problemas de empleabilidad, con pocos conocimientos empresariales y habilidades de gestión, a repensar su futura vida profesional y reiniciar su carrera.

FERNANDO SÁENZ-MARRERO

Fernando Sáenz-Marrero
Espanha

To open dialogue to expand a person's capacity to love and be lovable.

Kat

Kat Smith
Estados Unidos

I will help the {UNDERVALUED + UNDERPRIVELEGED} become EMPOWERED to improve {THEIR OWN + OTHERS'} lives through mentoring, collaborating and birthing innovative impact-ful solutions.
-E

Emmanuel A. Simon
Estados Unidos, vindo de Trinidad e Tobago

página 155 **Refletir**

I'D LIKE TO SUSTAIN COMPANIES AND ORGANIZATIONS THROUGH THE INNOVATION OF BUSINESS PROCESSES.
— MICHAEL ESTABROOK

Michael Estabrook
Estados Unidos

My purpose is to evolve the female entrepreneur so that she may turn her intellectual capital into multi-generational wealth.
Kadena Tate

Kadena Tate
Estados Unidos

Ik help ondernemers, investeerders businesscoaches en consultants bij het ontwikkelen van succesvolle bedrijven door complementaire ambities, netwerk en ervaring te verbinden én te faciliteren
Marieke Post, "Ambition Angel"

Marieke Post
Holanda

Me levanto todos los días para revolucionar el mundo a través del diseño de experiencias extraordinarias e innovadoras que cambien para bien la vida de las personas. Para lograr esto es vital enseñar a la gente que la felicidad precede al éxito. Al final es acerca de hacer felices a otros.

Alfredo Osorio Asenjo
Chile

A PROVA DE FOGO

Você pode compartilhar sua Declaração do Propósito com os outros de forma confiante e proativa? Se você não se sentir confiante ou se sentir envergonhado, você tem mais trabalho a fazer.

Quando você conseguir (pelo menos por ora), então é hora de avançar para a fase de Revisar — e explorar as possibilidades para reinventar o seu modelo de negócios pessoal usando sua recém-criada Declaração do Propósito como um guia.

Seção 3 página 158

Revisar

Ajuste — ou reinvente — a sua vida profissional
utilizando o Canvas e descobertas das seções anteriores.

CAPÍTULO 6
Prepare-se para se Reinventar

Seção 3   página 162

Mountain View, Califórnia

Uma sala inteira cheia de sorridentes funcionários do Google está de pé, mãos levantadas, acenando. Seu palestrante pediu-lhes para fazer isso se eles reconhecem qualquer um dos seus próprios monólogos interiores de uma série de slides do PowerPoint:

"Você contempla sua vida e onde você está indo e a questão 'Isto é tudo?', surge espontaneamente e o deixa desconfortável."

☐ Sim   ☐ Não

"Você constantemente planeja definir sua vida em linha reta 'quando' algo acontece ou algo assim chega a você — *quando* um grande projeto em que você está trabalhando é concluído, *quando* sua mãe se recupera de cirurgia e sai do hospital, *quando* seu filho faz algo certo, *quando* seu cônjuge que procura um emprego, encontra um."

☐ Sim   ☐ Não

> "Você avalia todos os eventos considerando o impacto em você mesmo. Se o seu cônjuge recebe uma grande oferta de trabalho você se pergunta qual será o seu impacto no relacionamento ou se o seu patrão é demitido, você fica querendo saber se você vai pegar o lugar ou como você vai se relacionar com quem vier a seguir."

☐ Sim ☐ Não

Srikumar Rao, um apresentador jovial com uma risada contagiante, passa a explicar como todos vivemos em meio a um fluxo constante de vibração interna — conversa que reforça os nossos "modelos mentais" de como o mundo funciona. Com um aceno de cabeça compreendendo a onda de ombros encolhidos, aperto de olhos e cabeças coçando que se segue, Rao continua: "Todos vocês estão vivendo em um mundo de sonhos.".

Um murmúrio domina a multidão.

Diz ele: "Sua vida inteira, incluindo a realidade que está ocorrendo, é um conjunto de histórias que você contou para si mesmo e continua a contar.".

Ao ouvir estas palavras, alguns participantes, aparentemente descobrem mensagens urgentes em seus Blackberrys e saem da sala. Mas a maioria fica. E quarenta minutos mais tarde, mais do que alguns saem com as suas perspectivas sobre a vida fundamentalmente alteradas.[21]

Alterando Sua Perspectiva

Rao, que acredita que "é importante aprender como se esforçar poderosamente mantendo-se sereno", reivindica que nenhuma de suas ideias é original. Tudo que apresenta, ele diz, deriva de milênios de tradições espirituais e filosóficas que lidam com fundamentos da condição humana.

Talvez por isso sua mensagem tenha ressoado tão fortemente entre os trabalhadores do Google, o cerne da força intelectual e tecnológica. Mesmo em uma era digital, aparentemente, o modo como vivemos e trabalhamos é, em última análise, moldado por elementos humanos atemporais.

E são os elementos humanos que teremos de enfrentar quando nos preparamos para modificar o nosso modelo de negócios pessoal. Todo mundo anseia por liberdade de vibração mental autodestrutiva, e quem não sonha com a autorreinvenção?

Vamos começar com uma variação de um belo experimento de reflexão inventado pelo grande filósofo britânico Bertrand Russell, em 1900.

Imagine 20 pessoas visualizando simultaneamente uma cadeira (a). Cada um dos 20 espectadores vê a cadeira de maneira diferente.

Algumas pessoas veem a cadeira assim (b). Outros têm este ponto de vista (c). Uma pessoa alta pode ver (d).

Em outras palavras, poderia haver 20 perspectivas diferente da mesma cadeira.

Todas essas perspectivas estão corretas? Sim.

Bem, então, se todas estão corretas, qual é a cadeira? Hmmm.

A resposta? Nenhuma delas. Todas as perspectivas são apenas representações da cadeira, e não a cadeira em si. E enquanto a cadeira em si pode ser uma única realidade, pessoas vivenciam de maneiras muito diferentes.

página 165 **Revisar**

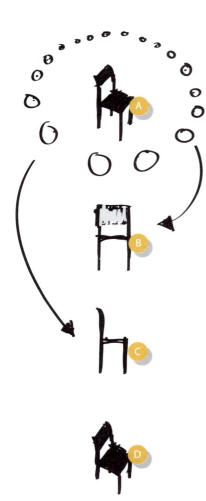

Na verdade, a nossa *percepção* da cadeira nos afeta mais do que a realidade da própria cadeira. Portanto, a experiência significativa da cadeira baseia-se numa mera representação (nossa perspectiva) — e não a cadeira real.

O ponto de Russell era o seguinte: nunca podemos ver ou conhecer completamente a realidade física da cadeira em sua totalidade, apesar de sabermos que essa realidade existe. Nossa perspectiva de visualização sempre limita o nosso conhecimento.

No entanto...

Se você andou ao redor do círculo de espectadores e ficou momentaneamente atrás de cada pessoa olhando para a cadeira, você veria diferentes perspectivas da cadeira.

Então, se 20 pessoas podem ter 20 perspectivas sobre a cadeira, você pode mudar a sua própria visão da cadeira — simplesmente mudando sua perspectiva.

Em suma, você exerce o poder de repensar a realidade.

Como um Homem Pensa

Aqui está o jogo: reconceber a realidade pode mudar a realidade.

Tudo o que você percebe sobre sua carreira, sua vida amorosa, sua família e amigos, não é necessariamente realidade, é apenas a sua percepção da realidade. E sua percepção representa apenas uma realidade possível — um dos 20 pontos de vista da cadeira — não a única realidade.

Os problemas surgem quando assumimos que a "realidade" que percebemos (reforçada pela vibração mental, tais como: *estou falhando em minha carreira*, *meu chefe me odeia*, *colegas invejosos estão minando os meus esforços* etc.) é *a realidade*.

De uma forma significativa, o mundo como nós vivemos não é real. Em vez disso, diz Rao:

"Inventamos isso. Construímos de pedaços e fragmentos. Fizemos isso de nossos modelos mentais e, em seguida, vivemos por seus preceitos. E, tendo feito tudo isso, procede-se o nosso viver sem nunca perceber que nossos modelos mentais foram compostos apenas de percepções e não fatos.".[22]

Transcendendo Modelos Mentais

Ao se preparar para reinventar um modelo de negócios pessoal, pode ser útil a prática de libertar-nos de restrições autoimpostas. Você pode estar familiarizado com o exercício seguinte, que muitas vezes ajuda os participantes a começarem a pensar em modelos mentais — suposições implícitas — que não estão servindo a eles de forma eficaz.

Crie o padrão de nove pontos à direita em uma folha de papel, ou simplesmente faça o exercício bem aqui nesta página:

1. Junte os nove pontos
2. Desenhe não mais que quatro linhas retas
3. Não levante o lápis do papel
4. As linhas podem ser desenhadas em qualquer ângulo
5. Quando estiver pronto, cada ponto deve ter uma linha que passa por ele

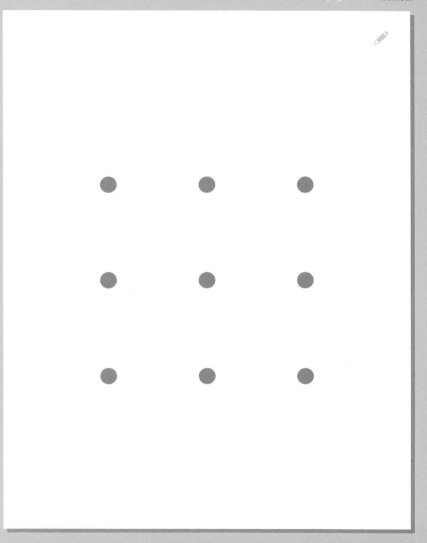

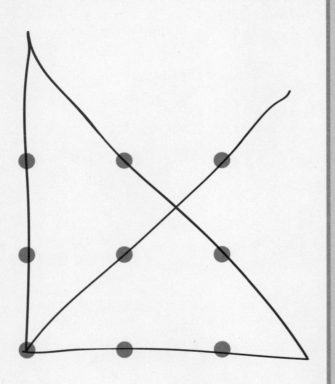

A solução (literalmente) é *pensar fora da caixa*.

A suposição implícita que a maioria de nós faz — nosso "modelo mental" em relação a este enigma — é que nós devemos *ficar dentro do canvas delimitado pelos nove pontos*. Mas é impossível resolver dentro dos limites dessa suposição. Como Benjamin e Rosamund Zanders escreveram, os limites são todos inventados:

"Os canvas que nossas mentes criam definem — e confinam — o que percebemos ser possível. Cada problema, cada dilema, cada beco sem saída que enfrentamos na vida, só parecem insolúveis dentro de um canvas especial ou ponto de vista. Amplie a caixa, ou crie outra moldura em torno dos dados, e os problemas desaparecem, enquanto novas oportunidades aparecem".[23]

página **169** **Revisar**

Aqui temos outro enigma que distorce a realidade.

> Torne a equação à direita verdadeira adicionando uma única linha ininterrupta:

Uma solução fácil é traçar uma linha vertical através do sinal de "igual" para criar $\neq$. Mas há uma outra solução — você consegue encontrá-la?

$$5 + 5 + 5 = 550$$

Seção 3 página 170

$$5 + 5 + 5 = 550$$

É fácil descartar a noção de que a realidade é "inventada" como um conceito nonsense da Nova Era. É importante, porém, que a perspectiva de que "tudo é inventado" seja profundamente *útil* — independentemente de ser necessariamente *verdade*.[24]

Rao sugere um outro exercício para ajudá-lo a trabalhar em modelos mentais (sua percepção de realidade) que está falhando em lhe atender bem.

A Editora

Pegue um papel e um lápis e reserve cerca de dez minutos tranquilos para si mesmo.

Agora, pense em uma situação que está incomodando você e a descreva no papel.

Leia como Amber Lewis, membro do fórum, descreveu sua própria situação, tente imaginar uma nova realidade, como ela fez.

"Nossos escritores não me respeitam. Continuam entregando histórias com os mesmos problemas, apesar de eu enviar sucessivos e-mails explicando como evitar esses problemas — e porque devemos fazê-lo. Eles estão ignorando minhas instruções. Talvez eu seja muito jovem para esta posição, ou talvez eu não sirva para a liderança."

Reforçado pela vibração mental compatível, Amber construiu essa "realidade" em torno de sua situação — problemas recorrentes com o trabalho de escritores — e acredita cada vez mais nisso com o passar do tempo.

Quando isso acontece, é hora de chegar a uma realidade *alternativa*: aquela que explica a mesma situação, mas que é muito mais eficaz.

Aqui está a realidade alternativa que Amber imaginou:

"Alguns dos autores são novos na empresa e ainda podem estar se ajustando ao nosso estilo e a carga de trabalho intensa. Além disso, só interajo com eles por e-mail — pode ser fácil interpretar errado ou perder a ideia central, quando a comunicação é totalmente online.".

Rao destaca que a sua realidade alternativa deve:

1. **Ser melhor do que a que você está experimentando.**

2. **Ser de uma forma que você possa aceitar plausivelmente.**

Uma vez que você tenha selecionado uma alternativa plausível e preferível, abandone a sua percepção anterior e aprove a nova realidade. Viva como se fosse verdade.

Quando você vive essa realidade alternativa, diz Rao, reconhece de imediato e lida com todas as evidências de que ela está funcionando. Definitivamente ignore evidências contraditórias. Você pode sentir-se estranho. Você está correto, mesmo! Eventualmente, você irá tornar-se o que está tentando reproduzir.

Para ajudar a adotar a nova realidade, Amber decidiu organizar reuniões pessoais com os escritores para que ela pudesse rever o estilo da empresa, responder a perguntas, guiar e fornecer esclarecimentos e orientação sobre questões que eram complicadas ou difíceis de lidar por email. O resultado? A verdadeira situação acabou ficando muito mais perto da realidade alternativa preferida por Amber.

INVENTANDO ALGO MELHOR

Pense no seu Canvas do Modelo de Negócios Pessoal como ferramenta para repensar a realidade da maneira que melhor lhe servir. Tenha em mente que redefinir o modelo de negócios pessoal pode ser caótico. Por um lado, em comparação com as organizações, as pessoas têm mais prioridades fora do trabalho e *menos* metas claras. Enquanto as organizações — apesar de com *menos* prioridades fora do trabalho e *mais* metas claras, lutam com a inovação do modelo de negócios:

O desafio (...) é que a inovação no modelo de negócios continua confusa e imprevisível, apesar das tentativas de implementar um processo. Isto requer habilidade em lidar com a ambiguidade e a incerteza até que uma boa solução surja (...). Os participantes devem estar dispostos a investir significativamente mais tempo e energia para explorar muitas possibilidades sem correr rapidamente para adotar uma solução.[25]

página 175 **Revisar**

CAPÍTULO 7
Redesenhe o Seu Modelo de Negócios Pessoal

NOME: AL GORE

PONTO-CHAVE:
TRANSFORME "PONTOS FRACOS" EM FORTES

PERFIL:
O DEFENSOR VERDE

Nem todo mundo ama política, mas o ex-vice presidente dos Estados Unidos, Al Gore, é um extraordinário exemplo de reexame de objetivo, perspectiva e identidade — e, como resultado, com sucesso reinventou seu modelo de negócios pessoal.

A renovação de Gore começou após a eleição presidencial de 2000. Ele ganhou no voto popular por uma margem de mais de meio milhão, mas perdeu a eleição quando houve uma controvérsia jurídica sobre a recontagem dos votos na Flórida, a Suprema Corte decidiu em favor de George W. Bush. Desiludido com o cargo público, Gore lamentou que "O que a política tornou-se é algo que exige (...) tolerância para artifícios e estratégias manipuladoras de comunicação".[26] Ele resolveu "democratizar a televisão", fundando a Current TV, uma empresa cujo modelo de conteúdo, gerado pelo usuário, era revolucionário para a televisão a cabo em 2002. Intensificando sua paixão de longa data pelas questões ambientais, ele então lançou um fundo de investimento focado em empresas comprometidas com a sustentabilidade econômica e ambiental.

O ápice da reinvenção de Gore foi o lançamento, em 2006, de *Uma Verdade Inconveniente*, documentário ganhador do Oscar com sua apresentação em PowerPoint* sobre o aquecimento global.

Como político, Gore tinha lutado por quase três décadas para divulgar ameaças à camada de ozônio da Terra. Mas foi preciso um novo modelo de negócios pessoal para alcançar seu objetivo: o filme atraiu a atenção mundial e transformou Gore em uma estrela da mídia e um dos principais defensores de causas ambientais.

Vários fatores tornaram a reinvenção de seu modelo de negócios pessoal bem-sucedida:

- Foco renovado em interesses fundamentais: a paixão de Gore por causas ambientais — uma fraqueza como político — tornou-se sua maior força como um cidadão comum
- Ajudar a mais Clientes: Gore ampliou sua base de Clientes muito além dos EUA — e a novos setores, não políticos
- Adoção de Novos Canais: Cinema, DVDs e livros converteram a Proposta de Valor de Gore de um serviço em produtos que podem atingir muito mais pessoas

* Leia o livro *Ressonância* de Nancy Duarte (Alta Books, 2012)

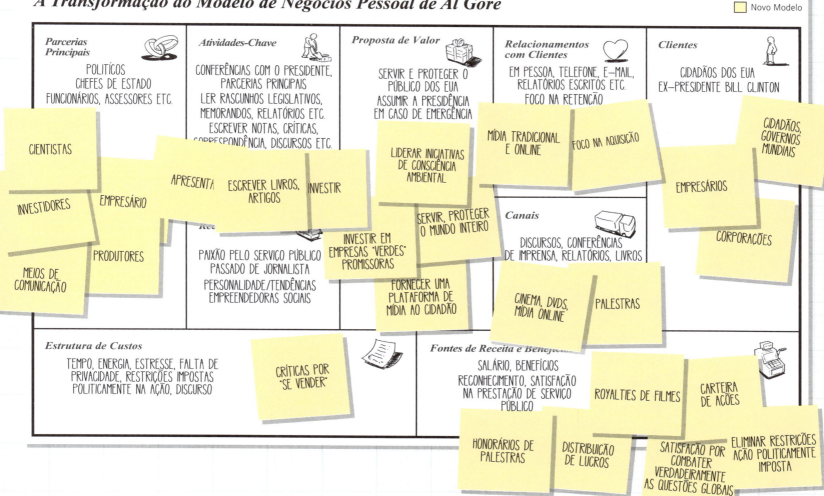

Seção 3 página 178

Redesenhando Seu Modelo de Negócios Pessoal

Seguem cinco passos para ajudá-lo ligar as perspectivas dos Capítulos 4 a 6 com um conjunto de ferramentas cruciais de reinvenção — e para guiá-lo em direção a um Canvas novo.

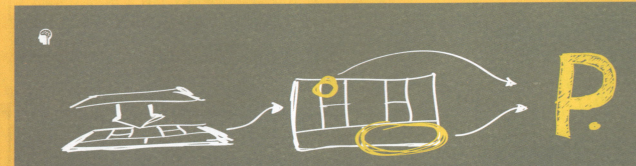

1. Desenhe Seu Modelo de Negócios Pessoal como Está Hoje

Lembra-se da sua versão do Capítulo 3? Desenhe novamente aqui ou em uma folha de papel separada. Desta vez, guiado por seu objetivo, você deve ser capaz de articular de forma mais poderosa Quem É Você, Como Você Ajuda e Quem Você Ajuda.

2. Identifique os Pontos Problemáticos

Onde é que sua vida profissional dói? Usando o Canvas que você acabou de desenhar, circule os componentes onde você se sente insatisfeito. Por exemplo, se você quiser fazer mais dinheiro, circule o componente Fontes de Receita.
Ou se você não gostar de vendas — ainda que seja uma de suas atividades mais importantes — circule o componente Atividades-Chave, *assim como* o elemento específico "venda".

3. Faça Perguntas de Diagnóstico

Em seguida, responda às perguntas sobre seu(s) componente(s) mais doloroso(s) nas páginas seguintes. Alguns dos problemas são ligados às questões; outros apontam para possíveis oportunidades. De qualquer forma, procure em "Pontos de Partida para a Solução" por dicas sobre os tipcs de ações que você quer tomar.

O Canvas do Modelo de Negócios Pessoal

Quem ajuda você (Parcerias Principais)

O que você faz (Atividades-Chave)

Como você os ajuda (Proposta de Valor)

Como vocês interagem (Relacionamentos com Clientes)

Quem você ajuda (Clientes)

Quem é você e o que você possui (Recursos Principais)

Como chegam até você e como você entrega (Canais)

O que você oferece (Estrutura de Custos)

O que você ganha (Fontes de Receita e Benefícios)

Seção 3   página **180**

As Ps de Diagnóstico

Quem É Você e O que Você Possui

O que Você Faz

Perguntas	Pontos de Partida para a Solução
Você está interessado em seu trabalho?	Se assim for, ótimo! Se não, provavelmente há uma incompatibilidade fundamental entre os **Recursos Principais** (Quem É Você) e as **Atividades-Chave** (O que Você Faz). Você também pode querer reconsiderar o seu propósito. Revisite os Capítulos 4 e 5.
Você subutiliza ou não utiliza uma importante habilidade ou capacidade?	A ausência ou subutilização de habilidades ou capacidades incorrem na **Estrutura de Custos** na forma de estresse ou insatisfação. Você pode adicionar essa capacidade ou habilidade às **Atividades-Chave** para apoiar ou melhorar sua **Proposta de Valor**? Revisite os Capítulos 4 e 5 para examinar por que você está subutilizando essa habilidade.
As tendências da sua personalidade não correspondem ao seu local de trabalho? (Lembre-se de que, "local de trabalho" é em grande parte definido pelas pessoas com quem se trabalha). Suas tendências de personalidade combinam com suas atividades de trabalho?	Se assim for, ótimo! Se não, considere a aquisição de novos **Clientes** (ou **Parcerias Principais**) com as tendências de personalidade mais compatíveis. Clientes estão ligados à **Proposta de Valor**, sendo assim, verifique as perguntas de diagnóstico da **Proposta de Valor**, na próxima página. Verifique o Capítulo 4 para se certificar de que sua personalidade se harmoniza com suas atividades do seu trabalho.

Quem Você Ajuda

página **181** **Revisar**

Perguntas	Pontos de Partida para a Solução
Você gosta de seus **Clientes**?	Se assim for, ótimo! Se não, imagine as qualidades que um **Cliente** "dos sonhos" teria. Você pode encontrar **Clientes** desse tipo no setor que você está trabalhando agora? Se não, considere rever seu modelo.
Quem é o seu **Cliente** mais importante?	Defina por que este **Cliente** é tão importante. Os Benefícios são pesados? Ou leves? Uma combinação dos dois? Será que este **Cliente** justifica uma nova ou diferente **Proposta de Valor**?
Qual é o trabalho real que seu **Cliente** está tentando realizar? Será que o **Cliente** tem uma outra razão ou motivação para envolver os seus serviços? Por exemplo, o seu **cliente** imediato está servindo a outro **cliente**, que possui um trabalho maior a ser realizado?	Você pode repensar, reposicionar ou modificar sua **Proposta de Valor** para ajudar o **Cliente** a ter sucesso com um grande trabalho?
Servir ao **Cliente** é muito caro? Servir ao **Cliente** está enlouquecendo você?	A **Estrutura de Custos**, incluindo **Estrutura de Custo** leve é alta demais para justificar servir a este **Cliente**? As **Fontes de Receita** (ou **Benefícios**) são muito baixas? Você pode se dar ao luxo de largar o Cliente? Você não pode largar o **Cliente**? Trabalhe através das questões de diagnóstico de **Proposta de Valor**, **Estrutura de Custos**, **Fontes de Receitas** e **Benefícios**.
O **Cliente** está igualando as **Atividades-Chave** com o trabalho a ser feito? E você?	Às vezes os **Clientes** não têm claramente definido o trabalho a ser realizado. Você pode ajudá-los a definir isso? Você pode redefinir ou modificar as **Atividades-Chave** para impulsionar a **Proposta de Valor**?
Você precisa de novos **Clientes**?	Se assim for, considere mudar o foco de seu **Relacionamentos com Clientes** da retenção para aquisição. Você precisa fazer mais vendas ou marketing? Melhorar ou desenvolver suas habilidades nesta área? Encontrar **Parcerias Principais** que podem ajudá-lo a adquirir novos **Clientes**?

Seção 3 página 182

Como Você os Ajuda

Perguntas	Pontos de Partida para a Solução
Que elementos de seus serviços são realmente **Valorizados pelo Cliente**?	Faça ao **Cliente** essa pergunta — a resposta pode surpreendê-lo. Trabalhe com as perguntas de diagnóstico do **Cliente** na página 181.
Será que a sua **Proposta de Valor** aborda os maiores e mais importantes elementos do trabalho a ser feito para o **Cliente**?	Você entende o verdadeiro trabalho a ser feito, ou você imagina o que é? Você pode reformular/reposicionar ou modificar suas Atividades-Chave para se concentrar mais acentuadamente em elementos cruciais da **Proposta de Valor**?
Você poderia entregar sua **Proposta de Valor** através de um **Canal** diferente?	Será que o seu **Cliente** gosta do **Canal** atual? Você poderia adaptar a **Proposta de Valor** para **Canais** de distribuição alternativos? Você poderia mudar a sua **Proposta de Valor** de um serviço para um produto, criando assim um modelo de negócios escalável (veja na página 45)?
Você gosta de entregar a sua **Proposta de Valor** aos **Clientes**?	Se assim for, ótimo! Se não, revisite os **Recursos Principais** e considere revisar seu modelo.

Como Chegam Até Você e Como Você Entrega

Como Vocês Interagem

Perguntas sobre Canais	Pontos de Partida para a Solução
Como os **Clientes** ficam sabendo sobre você? Como os **Clientes** avaliam seus serviços (ou produto)? Você habilita os **Clientes** a comprar da forma que eles preferem? Como você entrega o seu produto/serviço? Como você garante a satisfação pós-compra?	Você *definiu* claramente como você ajuda para conseguir *comunicar* como ajuda? De que novas maneiras você poderia criar a consciência ou promover a avaliação (mídia social, apresentações online etc.)? Você está permitindo a compra e entrega na forma que os **Clientes** preferem? Você pode oferecer opções diferentes de compras? Você pode entregar através de um meio novo ou diferente (DVD, podcast, vídeo, em pessoa)? Poderia uma **Parceria principal** desenvolver conhecimento suficiente ou entregar em seu nome? Você já se perguntou quão satisfeitos estão os **Clientes** com o seu serviço ou produto?
Através de que **Canal(is)** você cria a consciência e entrega a **Proposta de Valor**? Você entrega diretamente a estes **Clientes**?	É possível converter o seu serviço em um produto, tornando possível entregar para muito mais **clientes**? (Esta é a chave para a criação de uma solução escalável de modelo de negócio, veja as perguntas de diagnóstico da **Proposta de Valor**).

Perguntas sobre Relacionamento com Clientes	Pontos de Partida para a Solução
Que tipo de relações que o **Cliente** espera que você estabeleça e mantenha?	Você está se comunicando com **Clientes** de forma que eles preferem — ou da forma que você prefere? Considere adicionar, remover, ampliar, ou reduzir um (ou mais) método de comunicação.
Qual é o objetivo principal de seu **Relacionamento com Clientes**: retenção ou aquisição?	Se o seu objetivo principal é a retenção, alguma das suas **Atividades-Chave** satisfaz o **Cliente**? (Se a satisfação for baixa, veja as perguntas de diagnóstico da **Proposta de Valor**.) Se o seu objetivo for a aquisição, você precisa adicionar ou ampliar a venda ou marketing relacionado às **Atividades-Chave**?
Estabelecer ou participar de uma comunidade de usuários melhoraria a comunicação com o seu **Cliente**? Você poderia criar um serviço ou produto com o seu **Cliente**?	Seus **Clientes** podem ajudar uns aos outros — ou você pode automatizar o **Relacionamento com Clientes** em certa medida — através de uma comunidade de usuários? (Veja **Canais**.) Considere modificar ou criar uma **Proposta de Valor** completamente nova juntamente com seu **Cliente**.

Seção 3 página **184**

Quem Ajuda Você

Perguntas	Pontos de Partida para a Solução
Quem são suas **Parcerias Principais**?	Poderia uma **Parceria Principal** assumir uma **Atividade-Chave** sua, ou vice-versa? Será que você poderia abaixar a **Estrutura de Custos**, aprofundando seu relacionamento com a **Parceria Principal**, ou tornando a relação mais estratégica? Você poderia modificar ou criar uma **Proposta de Valor** completamente nova com uma aliança com uma **Parceria Principal**?
Se você não tiver uma **Parceria Principal**, você consideraria ter um?	Você poderia obter um **Recurso Principal** importante a um custo menor ou com melhor eficiência/qualidade ao adquirir a partir de uma **Parceria Principal**, em vez de procurá-lo internamente? Você poderia converter/reposicionar um colega ou alguém como uma **Parceria Principal**? De forma alternada, você deve eliminar uma **Parceria Principal** existente?

O que Você Ganha

O que Você Oferece

Perguntas de Fontes de Receita e Benefícios	Pontos de Partida para a Solução
Fontes de Receita e **Benefícios** são gerados pelo sucesso da **Proposta de Valor aos Clientes**. São as **Fontes de Receita** adequadas?	Se não, você pode precisar substituir ou adquirir novos **Clientes**, adicionando atividades comerciais. A interpretação do **Cliente** sobre a **Proposta de Valor** corresponde à sua? Se assim for, considere a negociação de um aumento ou redução de preço de **Custo**. Se não, trabalhe com as perguntas de diagnóstico da **Proposta de Valor**.
Você está aceitando **Fontes de Receita** ou **Benefícios** baixos porque você subestima sua **Proposta de Valor**?	Verifique se você (ou o **Cliente**) estão igualando **Atividades-Chave** com **Proposta de Valor**, ou estão interpretando mal o trabalho a ser realizado. Por quais trabalhos os **Clientes** estão verdadeiramente dispostos a pagar? Trabalhe através das perguntas de diagnóstico de **Cliente** e **Proposta de Valor** para ver se você pode aumentar o valor da **Proposta de Valor**.
Será que as **Fontes de Receita** atuais recebidas seriam adequadas se as **Estrutura de Custos** pesadas ou leves pudessem ser reduzidas?	Se assim for, você pode reduzir/modificar as **Atividades-Chave** necessárias para atender ao **Cliente**? Se não, considere encontrar um novo **Cliente**, ou rever o seu modelo.
As **Fontes de Receita** são pagas na forma que o **Cliente** prefere, ou na forma que você prefere?	Você poderia mudar de um modelo empregado para um modelo contratante? De um modelo de fixo para um modelo de assinatura? Ou vice-versa? Você poderia mudar o seu serviço em um produto que poderia ser vendido, alugado, licenciado ou assinado? Você poderia receber o pagamento em espécie? Você poderia negociar receber **Benefícios** que custam pouco ao **Cliente** mas que valem muito para você?

Perguntas de Estrutura de Custos	Pontos de Partida para a Solução
Quais são as principais **Estruturas de Custos** que você paga sob o modelo atual?	Considere **Estrutura de Custos** leves (insatisfação e estresse), bem como **Estrutura de Custos** pesadas (tempo, energia e dinheiro): você pode reduzir ou eliminar quaisquer **Estruturas de Custo**, modificando uma **Atividade-Chave** ou compartilhando-a com uma **Parceria Principal**? Poderia qualquer **Atividade-Chave** ser reduzida ou eliminada sem afetar negativamente a **Proposta de Valor**? Você poderia aumentar significativamente a **Proposta de Valor**, investindo mais em uma **Parceria Principal** ou em **Recursos Principais**?
Quais **Atividades-Chave** geram a mais alta **Estrutura de Custos** leves dentro do seu modelo?	**Atividades-Chave** que geram custos excessivamente altos sugerem uma incompatibilidade entre **Recursos Principais** e **Atividades-Chave**. Revisite o Capítulo 4.

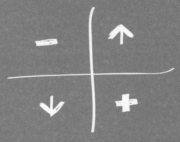

4. Modificando os Componentes e Avaliando os Efeitos

Referindo-se as suas respostas para as perguntas do diagnóstico, liste as modificações que você gostaria de fazer em seus componentes da tabela à direita. Por exemplo, se você quiser fazer menos vendas, na linha "O que Você Faz", escreva "vendas" na coluna "Reduzir".

Para uma visão completa dessa técnica, veja o canvas das Quatro Ações na *Estratégia do Oceano Azul*, por Kim e Mauborgne.

página 187 **Revisar**

Componentes	Adicionar +	Remover −	Crescer ∧	Reduzir ∨
Quem É Você e o que Você Possui				
O que Você Faz				
Quem Você Ajuda				
Como Você os Ajuda				
Como Chegam até Você e Como Você Entrega				
Como Vocês Interagem				
Quem Ajuda Você				
O que Você Ganha				
O que Você Oferece				

Seção 3 página **188**

Avaliar os efeitos das alterações é um intrigante — e às vezes complicado — processo. Isso porque os componentes estão inter-relacionados: a mudança de um elemento em um componente exige uma mudança de um elemento em outro componente. Olhemos brevemente o Capítulo 2, quando você pintou o Canvas de sua organização. Sendo assim, aqui está uma cartilha mais detalhada sobre como fazer alterações e traçar seus efeitos.

Como os Componentes Afetam uns aos Outros

Imagine um problema comum com o componente Fontes de Receita e Benefícios: não há bastante dinheiro entrando. Você poderia trazer mais dinheiro com a (1) aquisição de mais Clientes melhores/diferentes, ou (2) oferecer uma Proposta de Valor de preço mais forte/diferente/elevado.

Suponha que você decidiu aumentar as Fontes de Receita, adicionando um novo Cliente. Você iria voltar ao componente na tabela da página

anterior, e na coluna "Adicionar" ao lado de Quem Você Ajuda, descreva o novo Cliente que você gostaria de adicionar.

Então, vamos dizer que você acabou de adicionar um cliente no papel. Isso é bastante simples. Mas não podemos contar com novos Clientes para aparecer automaticamente, certo? Adicionar um Cliente geralmente requer venda adicional ou esforços de marketing. Portanto, você deve fazer uma entrada correspondente a **adicionar** ou **aumentar** as vendas ou ações de marketing próximo a O que Você Faz.

Componentes 👁	Adicionar +	Remover –	Crescer ∧	Reduzir ∨
Quem É Você e O que Você Possui	REVISAR AS VENDAS, HABILIDADES DE MARKETING		VENDAS OU AÇÃO DE MARKETING	
O que Você Faz				
Quem Você Ajuda	NOVO CLIENTE			
Como Você os Ajuda				
Como Chegam...				
Como Vocês Interagem				
Quem Ajuda Você				
O que Você Ganha				
O que Você Oferece				

página **189** **Revisar**

Esta nova entrada em "O que Você Faz" pode afetar outros componentes. Por exemplo, se você não possui habilidades de vendas, pode querer passar por um treinamento de vendas ou um curso de marketing. Você, sendo assim, colocaria uma entrada correta próximo a "Quem É Você", como na tabela abaixo.

Por outro lado, você pode atingir seus objetivos de aumentar as vendas trazendo um parceiro que possui habilidades nesta área. Você, então, colocaria uma entrada apropriada próximo a "Quem Ajuda Você".

Aqui está o truque para efetivamente revisar seu modelo de negócios pessoal: quando você muda um elemento em um componente para conseguir um resultado desejado, identificando o impacto da mudança em outros componentes. Deste modo, modifique elementos nos outros componentes de acordo.

Agora, passe por cada componentes em seu modelo que precise de melhorias e faça os ajustes apropriados.

Componentes 👁	Adicionar +	Remover −	Crescer ∧	Reduzir ∨
Quem É Você e...				
O que Você Faz				
Quem Você Ajuda	NOVO CLIENTE			
Como Você os Ajuda				
Como Chegam até Você e...				
Como Vocês Interagem				
Quem Ajuda Você	CONSEGUIR UM NOVO PARCEIRO DE VENDAS			
O que Você Ganha			TAXAS ADICIONAIS	
O que Você Oferece				

5. Redesenhe Seu Modelo

Uma vez que você modifique um dos componentes problemáticos, é hora de redesenhar um novo Canvas.

Isso não quer dizer que você deve desenhar seu Canvas uma vez e depois modificá-lo. A força do Canvas está na forma estruturada de experimentar diferentes modelos de negócios pessoais. É uma maneira de tentar (criar um protótipo) com diferentes estilos de trabalho e descobrir o que é melhor para você.

O Poder da Prototipagem

Experiências com vários modelos ajudam nas mudanças da vida. E caso seu excelente gerente for substituído amanhã por um chefe infernal? Gerar múltiplas opções ajuda você a mudar rapidamente para um modelo viável que o levará onde você quer ir.

página 191 **Revisar**

O Canvas do Modelo de Negócios Pessoal

Quem Ajuda Você (Parcerias Principais)	**O que Você Faz** (Atividades-Chave)	**Como Você os Ajuda** (Proposta de Valor)	**Como Vocês Interagem** (Relacionamentos com Clientes)	**Quem Você Ajuda** (Clientes)
	Quem É Você e o que Você Possui (Recursos Principais)		**Como Chegam até Você e Como Você Entrega** (Canais)	

O que Você Oferece (Estrutura de Custos)	**O que Você Ganha** (Fontes de Receita e Benefícios)

Seção 3 página **192**

Inspiração de Reinvenção

Como reinventores de modelo de negócios pessoal, contamos com ferramentas similares. Contudo, os nossos processos individuais — e resultados — são únicos.

As páginas finais deste capítulo mostram quatro histórias distintas de reinvenção. Embora cada um seja diferente em suas circunstâncias pessoais, podem ajudar a enriquecer e ampliar sua compreensão de como você pode aplicar pessoalmente a metodologia BMY.

página 193 **Revisar**

1. Prepare o Canvas.

2. Nas histórias seguintes, observe como a concentração em um ou dois componentes produziu mudanças significativas.

3. Redesenhe seu próprio modelo.

Lembra-se do índice de ocupação na página 12? Agora pode ser um bom momento para revê-lo e ler sobre uma ocupação semelhante à sua.

NOME: HIND

194

PONTO-CHAVE:
ESCOLHA OS SEUS CANAIS

PERFIL:
A MUSICISTA

Após uma aparição de sucesso na televisão aos 17 anos, a cantora residente em Amsterdã, Hind, assinou com a gigante da música alemã BMG, vendeu 40 mil cópias de seu álbum de estreia, e recebeu o Edison Award por Melhor Artista Revelação. Depois disso, porém, ela foi obscurecida por estrelas maiores da BMG e se esforçou para promover seu próprio material.

Ao mesmo tempo, a popularidade explosiva de músicas para download enfraqueceu o modelo de negócios tradicional da indústria musical: as gravadoras já não dominavam os canais para promoção e difusão de música.

Hind percebeu que lidar com a indústria da música em rápida evolução — e ter a liberdade de exercer sua própria visão — significava que ela precisava reinventar seu modelo de negócios pessoal. Hind começou fazendo perguntas difíceis sobre o componente Canais. Como fazer os fãs saberem mais sobre ela? Sua música era comprada e entregue da forma como os fãs preferiam? Quais esforços de acompanhamento garantiam a satisfação do ouvinte?

Responder a estas perguntas levou a uma decisão clara: Hind e seu empresário, Eddie Tjon Fo, criariam seu próprio selo, B-Hind, um novo modelo que asseguraria o controle total sobre criação, promoção e distribuição da música de Hind.

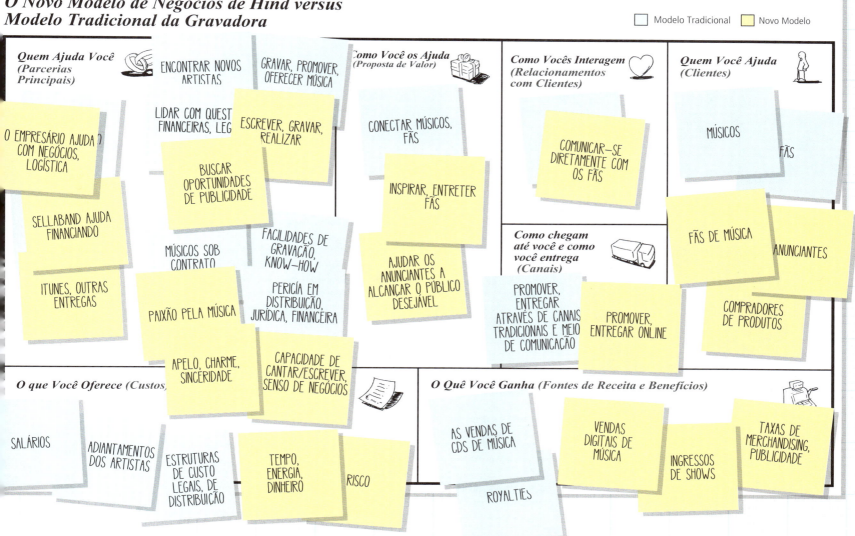

NOME: J.D. ROTH

196

PONTO-CHAVE:
AJUDAR OS OUTROS, AJUDAR A SI MESMO

PERFIL:
O BLOGUEIRO

Roth disse: "Por anos, fui um gastador compulsivo. Mas quando minha esposa e eu compramos uma fazenda centenária, finalmente fui ao fundo do poço. Eu ia ficar sem dinheiro". J.D., que vendia caixas de papelão customizadas, sempre teve interesse em autoaperfeiçoamento e escrita. Então, falido e endividado, ele decidiu se reinventar.

Ele leu tudo o que podia sobre finanças pessoais e resumiu suas buscas em um post em seu blog intitulado *Get Rich Slowly!* (Enriqueça Lentamente!). O ensaio online — e o compromisso pessoal de J.D. em cumprir sua mensagem — afetou os leitores. Um ano depois ele lançou um blog de finanças pessoais com o mesmo nome. Lembra ele: "Nunca me ocorreu que uma pessoa poderia ganhar a vida sendo blogueiro. Só pensei que estava ajudando as pessoas.".

Entretanto sua renda online cresceu, e em pouco tempo os ganhos do *Get Rich Slowly* chocavam com seu salário da empresa de caixas. Foi quando ele aplicou seu novo modelo de negócios pessoal como blogueiro profissional — e largou o trabalho convencional. Afirmou ele: "Foi a melhor decisão da minha vida. Paguei minhas dívidas, economizei para o futuro, e ajudei outras pessoas".

Mas um cronograma de postagem sete dias por semana e interação constante com mais de 60 mil leitores causou problemas para J.D. A qualidade do *Get Rich Slowly* começou a sofrer. J.D. reconheceu que seu modelo de negócios pessoal teve que evoluir novamente. Ele encontrou um sócio e contratou escritores para que ele pudesse "guiar o barco sem ser o único membro da tripulação". A mudança aumentou as Estruturas de Custo em dinheiro, mas reduziu drasticamente o estresse de J.D. e o comprometimento de seu tempo. Isso o libertou para escrever para publicações impressas, o que impulsionou tanto a receita quanto a satisfação. Enquanto isso, as assinaturas ao *Get Rich Slowly* continuaram crescendo. Agora, J.D. goza de mais tempo para os amigos e a família, e alcançou os muito acalentados objetivos de longas viagens para a África, Europa e outros lugares.

Disse: "O Canvas do Modelo de Negócios Pessoal me ajuda, porque todos nós temos pensamentos sobre o que queremos fazer, mas não conseguimos fixá-los. Quando você escreve, eles se tornam permanentes. O Canvas ajuda a ser intencional no que você desejar fazer".

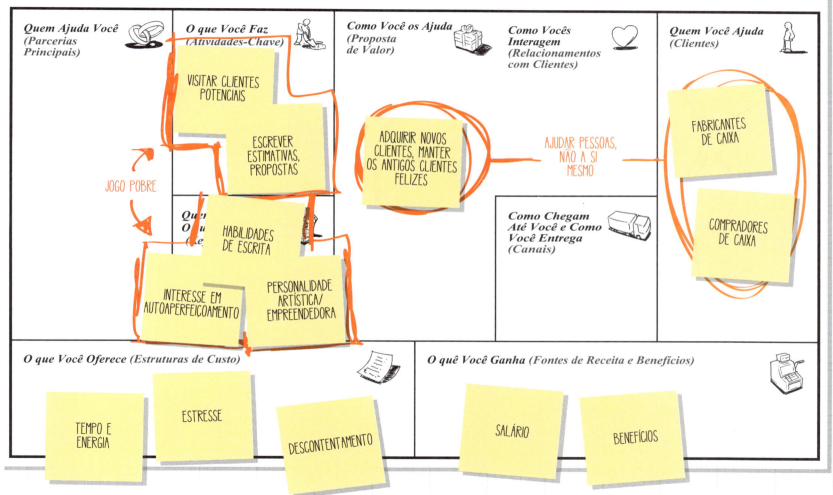

Seção 3 página 198

Modelo de J.D. v2.0: Blogueiro

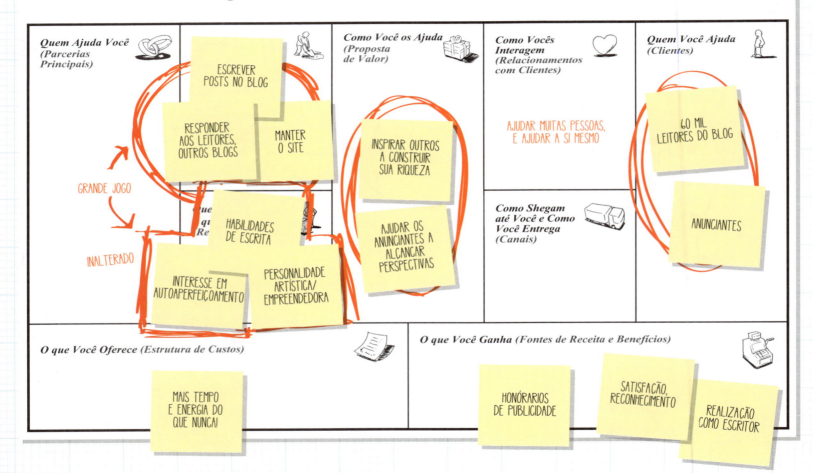

Modelo de J.D. v.2.1: Super-Blogger

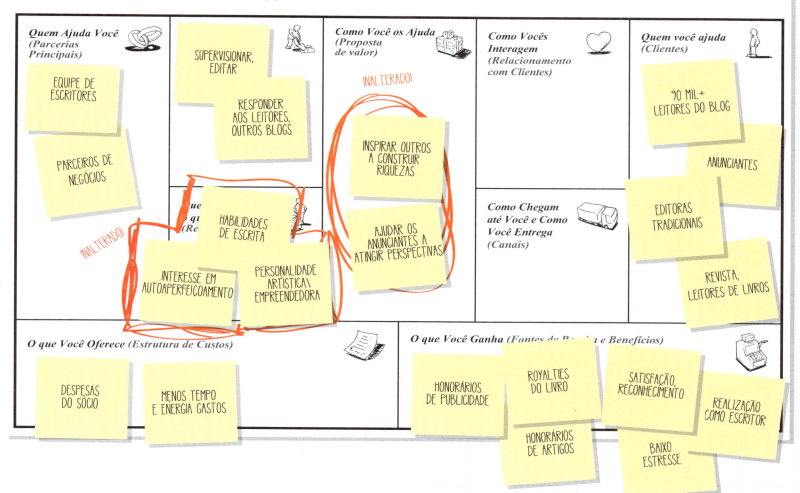

PONTO-CHAVE:
DESCOBRINDO MAIS RECURSOS PRINCIPAIS

PERFIL:
O LOCUTOR DE RÁDIO

Quando Maarten Bouwhuis entrou para o Departamento de Produção da Business News Radio, ele mal sonhava que um dia poderia se tornar uma personalidade do rádio. Mas dentro de poucos meses, ele começou a pensar: "Por que não trabalhar como locutor, também?". De modo que ele fez disso seu objetivo.

No caminho de se tornar uma personalidade do rádio, Maarten trabalhou duro para desenvolver a sua voz, dicção e estilo de entrevistas. E até recentemente, ele considerou esses e outros atributos físicos aos Recursos Principais do seu modelo de negócios pessoal.

Mas radialistas ganham salários baixos, e Maarten começou a reconhecer o valor limitado destes Recursos Principais. Ao longo do tempo, o feedback dos colegas e ouvintes mostrou a Maarten que a sua experiência em entrevistas e comentários forjaram um conjunto inteiramente novo de habilidades, incluindo a capacidade de compreender e esclarecer as tendências — e um dom para comunicá-las rápida e claramente, e com poder emocional.

Estas novas competências levaram a trabalhar como líder de discussão e facilitador em seminários de negócios e outros eventos. Hoje, ele às vezes ganha o equivalente a um mês inteiro do salário de locutor por uma única aparição.

"Nunca limite a sua definição de Recursos Principais como você definiu no passado" diz Maarten. "Seu modelo de negócios pessoal é um trabalho em progresso."

NOME: MAARTEN BOUWHUIS

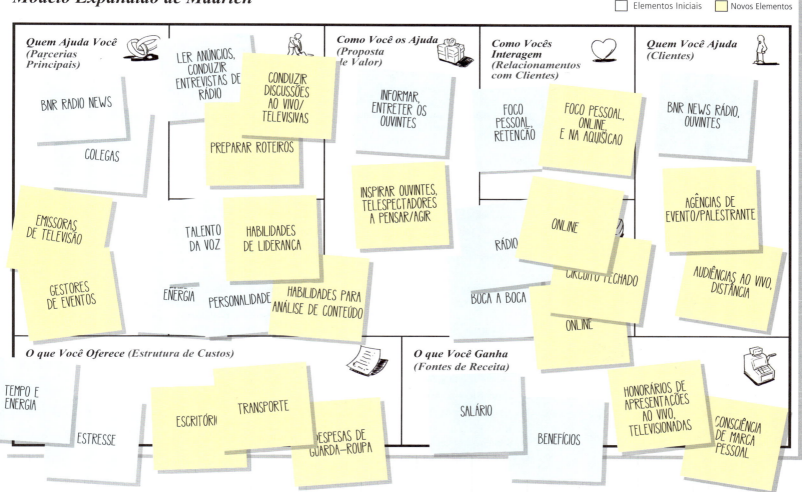

PONTO-CHAVE:
BACKCASTING: UMA ABORDAGEM ALTERNATIVA

PERFIL:
O LÍDER DA EQUIPE

NOME: NATE LINLE

Nate era um engenheiro elétrico que gerenciava um grupo de engenheiros de software para um serviço de posicionamento global — Global Positioning Service (GPS). Ele estava perdendo o entusiasmo pelo seu trabalho, mas tinha dificuldade de definir exatamente o que andava errado. Então, ele procurou a ajuda de um coach, Bruce Hazen, que sugeriu a Nate tentar backcasting — prevendo sua futura carreira ideal, para assim, trazê-la ao presente.

Para começar a abordagem, Hazen pediu que Nate escrevesse quatro cenas de filmes curtos, cada uma representando ele mesmo e dois outros profissionais que fazem atividades que ele achou satisfatória — e podia ver como o trabalho ideal.

As cenas foram dizendo: *Nate tinha se lançado como líder e formador de equipes em todas*. Além disso, cada cenário contou com uma configuração diferente, Nate tinha enfatizado os detalhes dos seus papéis de formador de equipes muito mais do que os setores da indústria em que ele os executou.

Juntos, Hazen e Nate "desconstruíram" os trabalhos atuais e do passado de Nate. O que eles encontraram combinava com o tema das cenas do filme de Nate: ele realmente gostou de montar e gerenciar equipes. Ele amava direcionar as pessoas, ajudando-as a pensar diferentemente sobre seu trabalho e eliminar os obstáculos ao seu progresso.

Os passos de backcasting de Nate

1. Desenhar o modelo ideal como gerente/líder
2. Desenhar o modelo atual como gerente de tecnologia
3. Reescrever a história pessoal
4. Reconhecer a necessidade de encontrar Clientes com experiência, reputação em liderança mundial em desenvolvimento de gestores
5. Procurar tal Cliente

Apenas um mês depois de iniciar sua busca de backcasting, Nate entrou na General Electric — uma empresa reconhecida pela sua excelente gestão e programas de desenvolvimento de liderança.

Backcasting significa ter visão de um futuro desejável, assim, trabalhar de trás para frente a fim de descobrir o que é necessário para chegar lá.

Aqui estão os passos envolvidos:
- Visualizar e desenhar o seu modelo de negócios pessoal ideal
- Desenhar um Canvas retratando sua carreira hoje
- Identificar lacunas entre seus modelos atual e ideal
- Definir componente a componente do canvas para eliminar possíveis lacunas
- Executar

"Criação de histórias sobre futuros potenciais faz você perceber o quão perto deles você pode estar."
– Bruce Hazen

Modelo Futuro

Gestores marcantes como mentores

Construir, guiar, liderar equipes em qualquer setor

Crescer como construtor/ líder da equipe

Modelo Atual

Estresse, descontentamento

Gerir projetos técnicos

Pouco crescimento profissional

A verdadeira paixão de Nate — e seu futuro modelo de negócios pessoal — teve pouco a ver com a engenharia de software, e tudo a ver com a construção e liderança da equipe...

... então ele reescreveu a sua história pessoal ao reformular-se como um gerente que é engenheiro em vez de um engenheiro que gerencia.

SUA NOVA HIPÓTESE

Trabalhar no seu modelo de negócios pessoal tem sido principalmente um exercício de lápis e papel?

Se você for como a maioria de nós, sim. Todavia, lembre-se de que um modelo de negócio pessoal concebido inteiramente em papel representa uma *hipótese* sobre sua vida profissional — pode conter pressupostos não testados.

Cientistas e empreendedores testam pressupostos com prototipagem e experimentos.

Devemos fazer o mesmo. Assim, os próximos capítulos abrangem o compartilhamento do seu Propósito, como receber feedback para melhorar o seu modelo, identificar e analisar Clientes em potencial — colocando o seu novo modelo de negócios pessoal em ação.

Vamos começar considerando o "valor" de seu negócio para os Clientes. Se o fizer, fornece poderosos insights sobre como os Clientes tomam decisões de contratação — e determinam salários ou honorários.

Seção 4   página **206**

Agir

Aprenda a fazer tudo isso acontecer.

página 209 **Agir**

CAPÍTULO 8
Calcule Seu Valor de Negócios

O que um Contracheque Ensina

Como vimos no Capítulo 1, todas as organizações precisam de modelos de negócios viáveis, e "viável" significa que *mais dinheiro entra do que sai* (pelo menos, *o dinheiro deve vir tanto quanto sai*). Isto é verdade para quase todas as empresas e indivíduos. Este capítulo vai ajudá-lo a compreender o modo como os Clientes em potencial valorizam seus serviços.

Para acompanhar o seu desempenho, as organizações usam um controle financeiro, uma lista detalhada de vendas e despesas. Este controle nas organizações ajuda a compreender suas operações — e permanecer viável.

Enquanto algumas pessoas usam controles financeiros mais formais, muitas usam ferramentas semelhantes.

Por exemplo, as pessoas equilibram seus talões de cheques e utilizam orçamentos para controlar contas e contracheques.

Vamos aprender sobre controles financeiros olhando para um exemplo pessoal. Sendo assim, vamos identificar como os mesmos conceitos se aplicam às empresas.

página **211 Agir**

Renda de Emily

Emily ganha cerca de $4 mil por mês como analista de cadeia de suprimentos na Giant Shoe Company. Depois de pagar as contas de cada mês, ela consegue economizar $450, que ela deposita em uma conta do mercado monetário.[27]

Leitores, vamos fazer uma coisa: Quantos consideram embolsar $450 a cada mês um lucro significativo?

Apesar de $450 parecer modesto, em termos de negócios, é um lucro de 11% ($450 dividido por $4 mil). Poucas empresas são capazes de guardar 11% de sua renda. Então, acredite ou não, em uma base percentual, Emily é mais rentável do que a maioria das corporações do mundo!

Mas "lucro" é uma palavra infeliz. Para muitos, evoca imagens de vendedores de carros usados enganando os compradores inocentes, ou vendedores ambulantes vendendo produtos tóxicos.

Lucro e Ganhos

Sabemos que o chamado lucro é simplesmente o excesso de entrada sobre a saída de recursos. No caso de Emily, seu lucro é o que ela legitimamente obtem em troca de trabalho duro e de ser uma boa cidadã; é o que ela ganha por servir bem aos Clientes. É importante gerar lucros.
De que outra forma ela pode poupar para a aposentadoria, ou guardar dinheiro suficiente para mandar seus filhos para a faculdade?

Da mesma forma, além da geração de lucros, como uma empresa pode investir em novas instalações ou contratar equipe adicional?

Criando assim uma renda suficiente apenas para pagar as despesas e não ter nada sobrando ("break-even" em termos de negócios) é uma fórmula pobre para indivíduos ou organizações com aspirações além da mera sobrevivência.

"Ganhos" e "lucros" significam exatamente a mesma coisa. Mas "ganho" é uma palavra mais apropriada. Apesar dos escândalos financeiros dos EUA no final dos anos 2000, a esmagadora maioria das empresas trabalha duro para gerar ganhos modestos, assim como Emily faz. Lucros ou são distribuídos para os proprietários, reinvestidos em operações, ou usados para pagar empréstimos.

Será que comparar um empregado a uma grande empresa parece um pouco forçado para você? Você não está sozinho! Como indivíduos, muitos de nós nos vemos operando princípios e trabalhando por metas distantes a partir de práticas de negócios.

Em certo sentido, isso é verdade. Pessoas e empresas são certamente diferentes. No entanto, como empregados, empreiteiros, ou empreendedores "vendendo" nossos serviços a Clientes, é útil pensar sobre as relações de trabalho em termos profissionais.

O objetivo deste livro é repensar nós mesmos como empresas de uma única pessoa — empresas que geram ganhos, tanto para as organizações em que trabalham quanto para nós mesmos.

Então!

Vamos discutir os prós e contras dos ganhos. Preparem-se para um pouco de matemática — você será bem recompensado pelo esforço.

(NO JARGÃO DE NEGÓCIOS)

VENDAS (FONTES DE RECEITA)
– DESPESAS
——————
= GANHOS

(EM TERMOS COMUNS)

DINHEIRO ENTRANDO
- DINHEIRO SAINDO
——————
= DINHEIRO SOBRANDO

A Demonstração de Resultados

Um demonstrativo de resultados enumera três categorias de cima para baixo: (1) dinheiro que entra (2), dinheiro que sai, e (3) dinheiro que sobra. Em termos de negócios, estas três categorias são chamadas de vendas, despesas e lucro.

Simples, não?

As empresas criam declarações de resultados pelo menos uma vez por ano para:

- **Descrever o seu desempenho de ganhos**

- **Identificar custos excessivos**

- **Analisar como as vendas têm crescido ou diminuído ao longo do tempo**

Declarações de resultados das empresas são mais complexas do que as de Emily, mas apenas porque eles têm categorias de despesas adicionais, subsídios para impostos e outras coisas que podemos alegremente ignorar com a finalidade de trabalhar em nossos modelos de negócios pessoais. A fórmula básica é a mesma:

Vendas – Despesas = Lucro

Dê uma olhada em "Como as Empresas Usam o Dinheiro" na página seguinte. Você verá como o demonstrativo de resultados se aplica a qualquer organização, seja para àquelas com fins lucrativos, governamentais, ou sem fins lucrativos.

página 213 **Agir**

Como as Empresas Usam o Dinheiro

	Empresas	Governos	Organizações sem fins lucrativos
Dinheiro entrando	Vendas Honorários Juros Royalties etc.	Impostos Vendas de títulos Venda de determinada propriedade ou serviços	Doações Presentes Garantias Vendas de produto ou serviço (muitas vezes limitada por lei)
Dinheiro saindo	Custo das mercadorias ou serviços vendidos Salários Aluguel Utilidades etc.	Serviços públicos: educação, saúde, defesa etc. Infraestrutura social Pagamentos de juros sobre títulos emitidos Salários dos funcionários públicos, benefícios, pensões etc.	Estruturas de custo do programa Salários Aluguel Utilidades etc.
Dinheiro sobrando	Ganhos (lucros) distribuídos aos proprietários ou reinvestidos em novas capacidades	Resgatar obrigações (pagar o montante original investido pelos compradores de títulos) Investir em infraestrutura social suplementar ou serviços	Investir em instalações, programa ou expansão pessoal (normalmente, organizações sem fins lucrativos não podem legalmente distribuir os fundos restantes aos fundadores ou partes interessadas)

O Verdadeiro Significado de Salário Líquido

Dê uma olhada no demonstrativo de resultados de Emily abaixo. Nota-se que seu salário líquido ($2.880) é significativamente menor do que seu salário bruto ($4.000). Impostos, retenções, Seguro Social e outras deduções da folha de pagamento — incluindo as contribuições para o plano de saúde e Medicare — são responsáveis pela diferença de $1.120.

Poderíamos pensar nos $1.120 de descontos em folha como uma espécie de "custo de rendimento" — uma despesa que ela deve pagar como condição de ser tanto funcionária quanto cidadã (como funcionária, ela usufrui do plano de saúde e benefícios da aposentadoria, e como cidadã, ela faz uso do serviço da polícia e dos bombeiros, educação gratuita para os filhos, e muitos outros benefícios).

Naturalmente, Emily gostaria de maximizar seu salário líquido. Mas ela não tem escolha: se ela quer ganhar como funcionária (e ficar bem com a fiscalização), ela deve aceitar deduções da folha de pagamento em impostos e benefícios. Portanto, seu imposto de renda, por assim dizer, é de 28% de seu salário.

Agora, prepare-se (de novo!). Vamos explorar o verdadeiro sentido de salário líquido.

Lembre-se de que Emily paga *todas* as suas despesas sobre um salário líquido de $2.880 — e não de um salário bruto de $4 mil.

Este é um fato óbvio, mas com implicações cruciais para o entendimento básico da empresa (e como seu salário é determinado). Eis o porquê:

Como Emily, as empresas devem pagar as despesas com base em seu "salário líquido" — o que resta depois de deduzir os custos que devem ser incorridos para produzir a renda.

Para ver como isso funciona na prática, vamos examinar como a Big Shoes Corporation cria o seu "salário líquido".

O demonstrativo de resultados mensal de Emily

Salário	$4.000
Descontos em folha	$1.120
Salário líquido	$2.880
Despesas	
Habitação	725
Alimentação	600
Médico	125
Carro	200
Utilidades	175
Outras	605
"Lucro" de	$450

página 215 **Agir**

Uma Surpreendente Verdade Sobre os Negócios

A Giant Shoe começa com a compra de matérias-primas necessárias para fazer sapatos a um custo de cerca de $3 por par.

Em seguida, reúne as matérias-primas em pares de sapatos em um custo de cerca de $4 por par.

Em seguida, ele transporta os sapatos fornecidos a varejistas. Vamos dizer que isso custa cerca de $1,50 por par.

O custo para fazer e transportar sapatos para o lugar onde podem realmente ser vendidos totaliza $8,50 por par. Agora, o varejista compra calçados da Giant Shoe por $22,50 cada par. A Giant Shoe, portanto, ganha $14 por par de sapatos vendidos.

Esses $14 são chamados de "Margem Bruta" ou simplesmente "Margem" porque representa o quanto a Giant Shoe ganhou após a dedução dos custos absolutamente essenciais de produção e transporte. Num certo sentido, esse é o salário líquido da Giant Shoe: 62,2% das vendas. (O varejista, posteriormente, vende os sapatos para os consumidores por $39,95 cada par — mas isso é outra história e fica para outra hora.)

Então, Giant Shoe usa sua margem bruta de $14 ("salário líquido") para cobrir suas diversas despesas.

Se planejar e executar bem e vender todas as mercadorias, como Emily, a Giant Shoe vai acabar tendo lucro, ou um excedente.

Aqui está o ponto crucial para lembrar: a Giant Shoe Company paga todos os salários e outras despesas com a margem bruta, ou salário líquido.

Portanto, para pagar as despesas do salário de Emily de $4.000, a Giant Shoe precisa gerar um adicional de $4.000 em "salário líquido" (margem bruta), certo?

Porque a Giant Shoe só fica com cerca de 62% de vendas para o varejo, para ganhar $4.000 na margem bruta, ela deve realmente gerar $6.429 em vendas (62,2% de $6.429 é $4.000).

Você pode facilmente calcular o Valor das vendas necessárias para cobrir uma despesa adicional — como um salário — simplesmente dividindo a despesa pelo percentual de margem bruta ($4.000 dividido por 0,622 é $6429).

página 217 **Agir**

Calculando Seu Valor

Imagine que você quer trabalhar para a Giant Shoe, com um salário de $4.000 por mês. Dependendo do seu pacote de benefícios, a Giant Shoe terá de cobrir mais do que seu salário apenas. De fato, as empresas normalmente contribuem com um adicional de 17% a 50% do que paga a um funcionário para ajudar a cobertura de plano de saúde, obrigações de aposentadoria, fundo público de aposentadoria e seguro-desemprego, e muito mais. Então, vamos supor que a contribuição da Giant é de 25% do salário. Isto significa que a quantidade real de dinheiro necessário para pagar o seu salário a cada mês é de $5 mil. Como é isso?

1. **Ela deve ter $4.000 para lhe pagar**

2. **Ele deve ter 25% de $4.000 — $1.000 — para pagar o seguro e outros Custos supracitados**

3. **$4.000 + $1.000 = $5.000**

Lembre-se de que $5.000 é apenas a quantidade de dinheiro que a Giant Shoe deve ter em mãos todos os meses para cobrir os custos de tê-lo como um empregado. Estes valores não refletem a maior parte das vendas que a empresa precisa para gerar o "salário líquido".

O canvas na página 219 mostra que, a fim de pagar um salário de $4.000, a empresa deve vender mais do que duas vezes esse valor em sapatos.

Observe duas coisas sobre a imagem "como os funcionários ganham o salário".

Em primeiro lugar, pagar o seu salário requer que a empresa gere muito mais do que o que você realmente recebe.

Em segundo lugar, *todo o dinheiro usado para lhe pagar, em última instância vem dos Clientes, e não da empresa.*

Contratar você significa que a Giant Shoe deve vender um adicional de $8.036 em sapatos a cada mês para cobrir o seu salário.

Então, como você vai ajudar a empresa a conseguir isso?

Este é um dos segredos do pensamento do modelo de negócios: *o valor de um funcionário é medido pelo Valor que ele ou ela fornece para os Clientes, em última instância.*

Quando uma organização decide contratá-lo, ela analisará se o Valor que você pode oferecer aos Clientes é maior do que a despesa de pagar seu salário.

Como os Funcionários São Pagos... por Clientes

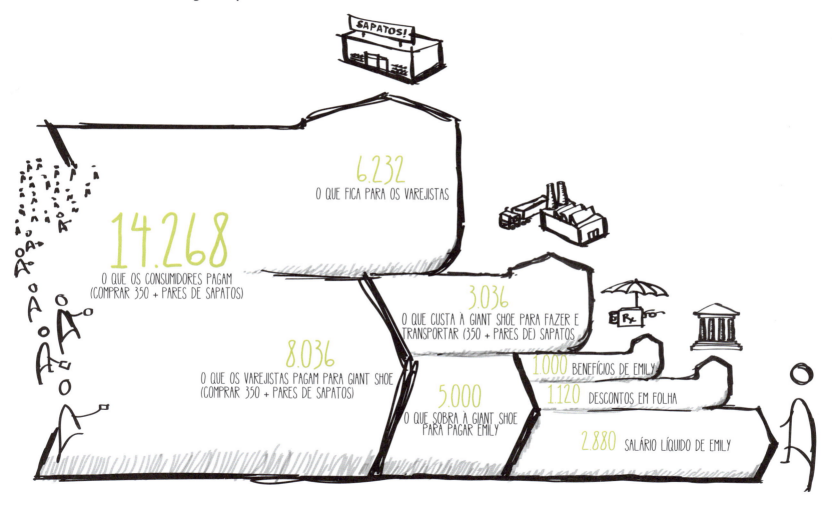

Descobrindo o Seu Valor

Muitas empresas não possuem margens brutas tão elevadas quantos os 62% da Giant Shoe. Suponha que você trabalha para uma empresa que alcança uma margem bruta média de 40%.

P: Quanto em vendas adicionais a empresa teria que gerar para pagar o seu salário mensal de $4.000? Suponhamos que os benefícios sejam 25% do salário.

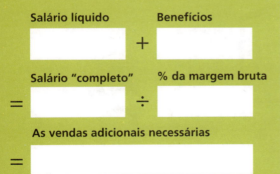

R: Pagar um empregado $4.000 por mês exigiria que sua empresa gerasse vendas adicionais de $12.500 todos os meses ($4.000 vezes 1,25 dividido por 0,40).

Por que as Coisas São Tããão Caras

Como regra geral, muitos empregadores assumem que, para o salário de um funcionário, a empresa gera duas vezes sua quantia, em vendas adicionais.

Assim, $96 mil em vendas extras é necessário para cobrir todos os custos de um empregado que ganha $48 anualmente.

Dependendo da indústria e/ou percentual de margem bruta, para alguns empregadores a regra de ouro é *três vezes* o salário anual.

Quando você pensa sobre quanto custa gerir um negócio — e a lógica por trás da determinação dos preços — é mais fácil entender por que as coisas podem ser tããão caras.

É de admirar que as empresas obsessivo e implacavelmente esforçam-se para aumentar as suas margens brutas?

Seu Valor para uma Organização

Claramente, se acreditar que você vale um salário anual de $60 mil, esteja preparado para explicar que contratá-lo trará um adicional de $120 mil a $180 mil para a organização a cada ano, de forma consistente.

Claro, vale a pena dizer que ninguém é mensurável apenas em termos financeiros. Mas o empregador deve tomar decisões de contratação com base na avaliação do Valor que você fornece aos Clientes versus o custo de empregá-lo. Esta é uma razão pela qual tanto as empresas quanto indivíduos precisam compreender os modelos de negócios.

Até agora você deve ter um bom senso de (1) como Clientes determinam seu valor à sua organização, e (2) como determinar o salário ou honorários que você deseja obter. Pense sobre estas questões, porque é hora de testar o seu modelo de negócios pessoal.

TERMOS PARA MANTER EM MENTE

RENDA

Dinheiro que entra

DESPESAS

Dinheiro que sai

GANHOS OU LUCRO

O que sobra depois de subtrair dinheiro que sai do dinheiro que entra.

DEMONSTRATIVO DE RESULTADOS

Um resumo das fontes de receitas de uma entidade e despesas durante um certo período de tempo, geralmente três meses ou um ano

VENDAS

O dinheiro gerado pela venda de serviços ou produtos

FONTES DE RECEITA

Vendas acrescidas de juros, aluguéis, royalties ou outras rendas passivas

MARGEM BRUTA OU MARGEM

Vendas menos o custo dos bens ou serviços vendidos (frequentemente expressa como uma percentagem das vendas)

CUSTO DE MERCADORIAS OU ESTRUTURAS DE CUSTO DE VENDAS

O custo direto para o vendedor da mercadoria ou serviços vendidos

BREAK-EVEN

Quando o dinheiro entra em igualdade com o dinheiro que sai

CUSTO (SALÁRIO) COMPLETO

O custo total do salário de um empregado, incluindo plano de saúde (se necessário), as obrigações de aposentadoria, o seguro obrigatório ou contribuições fiscais, e assim por diante, além do salário em si

CAPÍTULO 9
Teste Seu Modelo no Mercado

NOME: CYD CANNIZZARO

PONTO-CHAVE:
CYD TESTA SEU MODELO

PERFIL:
A COORDENADORA DE RECICLAGEM

Cyd Cannizzaro tinha finalmente definido o Propósito: Ensinar os outros a reciclar e descartar lixo responsavelmente. Durante anos, ela teve profundas discussões sobre lixo e reciclagem com um amigo que compartilhava sua paixão por questões ambientais — os dois rindo, apelidaram suas sessões de "talkin' trash" (conversa sobre lixo). Mas quando Cyd foi demitida de seu trabalho como treinadora de serviço ao cliente, ela decidiu que "talkin' trash" deveria ser mais do que um passatempo, deveria ser sua vocação. Cyd jurou encontrar trabalho ensinando aos outros sobre a reciclagem — "trabalho que faça a diferença", ela chamou.

Cyd imediatamente começou a testar a sua ideia de um novo modelo de negócios pessoal.

Ela foi incapaz de encontrar **Clientes** dispostos a pagar por serviços de formação em reciclagem, de modo que ela revisitou seu plano e conseguiu um emprego na lanchonete de um supermercado orgânico para melhorar seu conhecimento sobre a eliminação responsável de resíduos.

Devido ao fato de ela não ser afiliada a uma organização de reciclagem, criou um memorável cartão de visitas para a "Talkin' Trash" que definia seu **Propósito**.

Para saber mais sobre os requisitos para um novo modelo de negócios pessoal no campo de reciclagem, ela começou a frequentar convenções de produtos verdes, fóruns públicos sobre a eliminação de resíduos sólidos e encontros de reciclagem da comunidade.

Seguindo seu interesse, levou a mensagem da sua "Talkin' Trash" de uma organização após outra, Cyd **ajustou seu modelo** em resposta ao feedback dos profissionais do setor que ela conheceu e chegou a projetos mais próximos do seu Propósito. Um dia, sua mensagem ressoou nos membros de uma força-tarefa municipal de sustentabilidade.

Agora, Cyd Cannizzaro trabalha confiante como coordenadora de reciclagem em tempo integral para uma cidade perto de sua casa.

O Seu Modelo Corresponde à Realidade do Cliente?

Se, como Cyd, você está planejando uma mudança significativa na carreira, é importante testar os requisitos e a viabilidade de seu modelo. No papel, um modelo de negócios pessoal contém um número de hipóteses invalidadas dentro de seus componentes: *é uma proposta de ajudar os outros enquanto faz o bem a si próprio, que não foi testada ainda.* Você testa seu modelo de negócios pessoal encontrando, falando e, em seguida, conseguindo o(s) Cliente(s) que deseja. A melhor maneira de testar novos produtos ou modelos de negócios de serviços é a dos empreendedores experientes: conversando com Clientes em potencial.

Sugerimos a adaptação do processo desenvolvido pelo empreendedor e guru de startups Steven Blank, que descreve como descobrir o que os Clientes precisam e estão dispostos a comprar. Este objetivo e repetitivo processo é importante porque muitas empresas (e empresários mal sucedidos) se concentram no desenvolvimento e venda de produtos ou serviços antes de entender completamente os Clientes.[28]

Por exemplo, quando a Motorola falhou em descobrir se seus Clientes queriam um sistema de telefonia móvel global, baseado em satélite, perdeu $5 bilhões (sim, *bilhões*) com o desenvolvimento e lançamento do serviço Iridium. Do mesmo modo, R.J. Reynolds perdeu $450 milhões em seus cigarros Premier e Eclipse sem fumaça: os não fumantes adoraram a ideia — mas os Clientes (fumantes!) não poderiam ter se importado menos.

Empreendedores inteligentes testam e avaliam completamente os modelos de negócio da organização antes que eles sejam executados. Faremos bem em seguir o seu exemplo e validar os nossos modelos de negócios *pessoais*.

Seção 4 página 226

Pesquisa *Execução*

PIVÔ

Descoberta
do Cliente

Validação
do Cliente

Criação
do Cliente

Como Testar um Modelo de Negócios

 Reúna-se com Clientes em potencial para testar suposições (hipóteses) nos componentes do seu Canvas do Modelo de Negócios Pessoal, em uma página. Se o feedback do cliente sugere que mudanças são necessárias, volte e modifique os componentes apropriados (isso é chamado "pivotagem"). Repita esse processo com outros Clientes em potencial.

 Quando o seu modelo parecer certo, tente validá-lo ao "vender" a um Cliente. Se eles não comprarem, faça o pivô novamente e modifique o seu modelo baseado em razões dadas para não comprar. Quando um cliente compra, tanto você está empregado quanto pronto para criar outros novos Clientes como um empreendedor.

Saia!

A descoberta do cliente começa com o que Steve Blank chama de "saindo do edifício." Os profissionais de carreira chamam de "networking". Significa a mesma coisa: contatar e reunir-se com Clientes em potencial, especialistas, ou pessoas que podem apresentá-lo a Clientes potenciais ou especialistas — e descobrir se o seu modelo é viável ou não.

Lembre-se de que, componentes do seu modelo contêm hipóteses múltiplas. Cada componente dentro do seu Canvas precisa ser testado com o Cliente. Por exemplo:

- Os Clientes confiam que você possui os Recursos Principais e/ou Parcerias Principais necessárias para entregar o valor prometido? Suas Atividades-Chave sugeridas apoiam a Proposta de Valor?

- Os Clientes se importam com o trabalho que você quer fornecer? Eles estão dispostos a pagar pela ajuda, conforme estabelecido no componente de Fontes de Receita de seu modelo? (Cyd não encontrou tais Clientes no começo.)

- Você pode arcar com a Estrutura de Custos necessárias para implementar seu modelo?

- Através de quais Canais os Clientes querem ser contatados e servidos? Os que você propõe são apropriados para os Relacionamentos com Clientes?

Estas questões só podem ser respondidas em uma reunião com Clientes potenciais onde eles vivem e trabalham.

A chave para a eficaz Descoberta do Cliente é evitar "vender". Suas reuniões devem centrar-se na validação de suas suposições do modelo de negócios pessoal da *perspectiva do Cliente*. Como diz Blank, não tente convencer os Clientes que têm os problemas ou oportunidades que você acha que eles têm!

Comece com contatos amigáveis: converse com a família, amigos, vizinhos, colegas, membros da igreja ou da associação profissional, e outros em sua rede pessoal. Diga-lhes que está reinventando sua carreira em torno de novas metas.

Pergunte-lhes se eles conhecem alguém que possa ter um interesse profissional em seus objetivos. Obtenha o maior número de nomes e informações de contato que puder. Estes nomes recém-obtidos são suas referências.

Em seguida, **entre em contato com suas novas referências**. O princípio básico é aproximar as pessoas através de contatos "quentes" — os amigos dos amigos, ou pelo menos conhecidos de conhecidos. Evite a "chamada fria" — abordar pessoas sem uma apresentação.

> "Tudo que acontece de grande em sua carreira começa sempre com alguém que você conhece. Você não precisa navegar na internet. Sua próxima grande chance não virá de alguma tecnologia misteriosa, ou descoberta de novas informações. A sua próxima grande chance virá de alguém que você conhece. Conheça as pessoas."
> — Derek Sivers

A maioria dos profissionais está interessada em falar com outros profissionais sobre assuntos de interesse mútuo.

Então, pegue o telefone, ligue e marque um encontro. Se a outra parte parece hesitante ou pedir mais detalhes, **mostre como ele pode se beneficiar do encontro com você:**

Pensei que você poderia dar algumas dicas sobre esta questão, e em troca eu ficaria feliz em compartilhar algumas ideias originais e minha perspectiva sobre o futuro da logística sustentável. Será que no final da tarde de terça-feira ou quarta-feira poderíamos nos encontrar?

Se a pessoa concordar, agende a reunião. Se não, peça a ela uma referência, agradeça pelo seu tempo e siga em frente.

Isso é tudo. Muitas pessoas acham este tipo de ligação difícil — até mesmo angustiante. *Mas se você fizer 10 ligações como esta, as coisas vão acontecer.*

Entrando em contato com uma referência pela primeira vez?

Respire fundo, pegue o telefone e tente dizer estas falas:

Olá, Maryellen, aqui é Emily Smith. Sally McCormick me passou seu contato. Sou uma profissional de logística interessada em novas formas de implementação de práticas sustentáveis na organização. Sei que você é um especialista nesta área, e estou interessada para saber mais sobre como você e a Prospect Company abordam esta questão. Será que você tem 20 minutos para se reunir para um café na próxima semana, talvez terça ou na quarta no final da tarde?

Expire. Relaxe. Aguarde a resposta. Se você falar sinceramente, você terá uma resposta positiva.

Chegue Mais Longe

Aqui estão algumas frases para dar início à discussão e ajudá-lo a começar a entender o modelo de negócios pessoal ou organizacional de seu entrevistado:

"Diga-me como você começou em _____ e o que trouxe você à Empresa _____."

"Como você está buscando suas metas de _____ hoje?"

"Quem compartilha seus problemas e preocupações sobre _____? Clientes? Fornecedores? Governo? Membros da comunidade?"

"Como você mede o impacto econômico?"

Se você tiver sorte, o entrevistado pode sugerir ou mesmo falar abertamente sobre um "trabalho a ser feito", uma Parceria Principal, ou outro aspecto de seu modelo. Se assim for, faça perguntas esclarecedoras e reafirme os pensamentos do entrevistado até que concorde com o seu entusiasmo (esclareça agora, porque depois você vai querer se concentrar em pesquisar e preparar uma proposta de trabalho com este cliente, não repensar no que foi dito). O Cliente pode até perguntar sobre sua Proposta de Valor ou outro aspecto de seu modelo.

Se a entrevista for *muito* bem — e dependendo da formalidade da situação e o âmbito da ajuda que pode oferecer — você pode querer sugerir trabalhar em conjunto diretamente. Se assim for, esteja pronto para discutir especificamente como você vai ajudar, bem como a remuneração (revise o Capítulo 8).

Se você sentir que uma proposta por escrito seria apropriada, diga ao entrevistado quais são suas ideias sobre como ajudar e que você gostaria da aprovação para apresentar uma proposta. Profundo interesse em objetivos de seu cliente — e posicionar-se como alguém que pode se tornar parte de uma solução — vai levar você e seu Cliente em potencial a se aproximarem.

Após cada reunião, reflita sobre o que aprendeu. Você deve entender melhor a viabilidade do seu modelo — e o modelo de negócio do seu entrevistador.

página **231** **Agir**

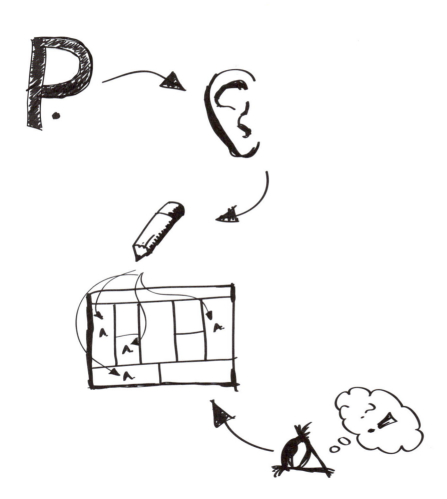

A Pergunta Secreta

Eis uma pergunta com poder aparentemente milagroso para provocar profundos insights em conversas comuns:

"O que mais devo saber sobre...?"

Por exemplo, perto do final da sua entrevista (página 229), Emily não se esqueceu de perguntar à Maryellen:

"Então, o que mais devo saber sobre a implementação de práticas sustentáveis em uma empresa como a Prospect?".

Por que esta pergunta é tão poderosa? A maioria dos profissionais cultiva teorias preferidas sobre os desafios, oportunidades, altos e baixos de suas profissões, e recebem bem as oportunidades para compartilhar esses pensamentos. Basta convidá--los — como um ouvinte sincero ansioso por ouvir ideias colhidas a partir da experiência vivida de seu entrevistado.

Seção 4 página 232

Verifique Suas Hipóteses Dentro de Cada Componente

Após cada reunião, compare o que você aprendeu com suas hipóteses de cada componente. Depois de várias reuniões desse tipo, você deve ter uma boa ideia das hipóteses dos componentes que você precisa ajustar.

FUNCIONÁRIO (riscado)

QUER EMPREITEIROS OU CONSULTORES

SALÁRIO E BENEFÍCIOS (riscado)

ABERTO A SIGNIFICATIVOS HONORÁRIOS!

A Decisão de Empreendedorismo

Ao testar o seu modelo, você pode descobrir que, quando você pretende se tornar um funcionário ou um empresário, começar pelo seu próprio negócio é uma opção mais desejável. Por outro lado, você pode descobrir que, enquanto você pretendia iniciar sua própria empresa, um emprego atraente ou posição interessante aparecerá.

De qualquer maneira, você vai enfrentar a decisão de empreendedorismo: se você começar a sua própria empresa, ou procurar encaixar seu modelo de negócios pessoal em uma organização maior?

Uma discussão sobre esta questão está fora do âmbito do *Business Model You – O Modelo de Negócios Pessoal*, ainda assim, vamos oferecer apenas dois pensamentos: (1) antes de decidir iniciar sua própria empresa, certifique-se de ler alguns dos trabalhos anteriores de Michael Gerber, e (2) a maioria das pessoas vai achar ainda mais sucesso pessoal e profissional ao *não* entrar nos negócios por si mesmo (Por outro lado, os leitores deste livro definitivamente não são "a maioria das pessoas!").

O que Fazer Se o Seu Modelo de Negócios Pessoal Falhar ao Divulgar

Quando você compartilhar o seu modelo, os ouvintes se animam e prestam atenção? Se não, vários fatores podem estar envolvidos.

O seu modelo é emocionalmente convincente? Se não, faça com que a linguagem que está usando seja simples, compreensível e adequada para o(s) ambiente(s) profissional(is) que você está almejando. Às vezes, um bom revisor faz uma diferença dramática.

Será que o seu modelo aborda os verdadeiros problemas econômicos ou oportunidades? Poucas organizações gastam dinheiro por motivos meramente sociais ou políticos. Repense a forma como o modelo pode fazer uma diferença econômica para os Clientes.

Você é um defensor veemente do seu modelo? Os Clientes confiam que você tem a unidade, antecedentes, conhecimentos e habilidades — os Recursos Principais — necessários para implementar o seu modelo? Se não tiver certeza de como os Clientes potenciais o veem, pergunte!

A "Encanadora" Financeira

Depois de ser demitida, Jan Kimmell, uma experiente empresária com um diploma em Física, decidiu por um novo modelo que misturaria finanças e operações.

As duas disciplinas raramente andam juntas, conta Jan, mas deveriam. Infelizmente, seu recém-definido Propósito falhou após entrevistas informativas. Então Jan desenvolveu uma apresentação memorável:

Sou uma encanadora financeira. Localizo vazamentos e obstruções em um sistema financeiro da empresa e faço parceria com operações para fazer os reparos necessários e manter os lucros fluindo.

As metáforas de Jan podem soar piegas, mas elas ressoaram como referências do setor de manufaturados. Agora, Jan trabalha para um fabricante de alta precisão, misturando — você adivinhou — finanças e operações.

Seção 4 página 234

Prepare-se para Validar Clientes

Você localizou e se encontrou com algumas organizações interessantes — algumas, provavelmente, dariam bons Clientes. Se você se sentir pronto para vender, e estiver entusiasmado sobre a aquisição de uma organização especificamente como um Cliente, aqui estão os próximos passos recomendados:

1. **Investigue a organização**
2. **Organize uma entrevista com um tomador de decisão**
3. **Proponha ajudar a organização com um serviço especifico**

Maneiras de investigar Clientes em potencial incluem participar de feiras ou eventos do setor, falando com especialistas ou analistas, visitar organizações em setores "adjacentes", e a leitura de publicações profissionais ou específicas no campo desejado. Seu objetivo é se colocar no lugar do Cliente e aprender a ver o mundo — e a *si mesmo* — através de seus olhos.

Mas vamos nos concentrar em sua arma secreta: a sua capacidade de reconhecer, descrever e analisar modelos de negócios. Que melhor maneira de compreender um estudo de um Cliente em potencial do que desenhar seu modelo de negócios?

Como Obter Dados "Internos"

Se o seu Cliente em perspectiva precisar preencher documentos com comissões oficiais, faça pesquisa em bancos de dados oficiais, que são um recurso público livre geralmente conhecido apenas por investidores, portadores de MBA e empresários experientes. Você vai descobrir um surpreendente conjunto de informações financeiras e estratégicas sobre o Cliente em potencial.

página **235** **Agir**

Diagrame modelos de negócios de um ou dois Clientes potenciais que você tenha identificado — e experimente adicionar, remover, crescer ou reduzir os elementos dos seus componentes.

Tente definir concisamente a Proposta de Valor e perceber os componentes que podem ser pontos fracos. Imagine as pressões competitivas que pode estar enfrentando. Elas poderiam responder de forma eficaz, ao alterar seus modelos? (Aliás, os seus concorrentes podem ser bons Clientes em potencial, também.)

Um ponto certo de problemas financeiros é: a maioria das organizações está ansiosa para aumentar as Fontes de Receita ou reduzir Estrutura de Custos. Tente quantificar — pelo menos aproximadamente — o seu efeito econômico positivo na Proposta de Valor que poderia ter sobre a organização se ela o contratar.

Você pode começar definindo um trabalho importante que você acredita que seu Cliente em potencial precisa que seja feito. Em seguida, faça o contrário: qual Proposta de Valor ajudaria o cliente com esse trabalho? Quais Atividades-Chave que você faria para criar essa Proposta de Valor? Você tem os Recursos Principais necessários? Se não, você poderia contar com a ajuda de uma Parceria Principal? Você pode mostrar como forças externas estão afetando o modelo de negócios do Cliente, e se sim, você poderia ajudá-lo a ajustar? Agora é a hora de libertar o poder do modelo de negócios pensando em nome de seu Cliente em perspectiva — e de si mesmo.

O Marqueteiro Online

Depois de formado, Charlie Hoehn encontrou-se desempregado com um diploma básico em Administração. Em vez de networking através de contatos de amigos, Hoehn apontou diretamente para o topo: ele fez uma ligação direta aos autores de best-sellers e cineastas que admirava e ofereceu seus serviços gratuitos de marketing online. A estratégia funcionou, e logo o levou aos serviços pagos. Sua lista de Clientes agora inclui Seth Godin, Tim Ferris e Tucker Max.

Vender para Quem Decide

Seu objetivo é reunir-se com um tomador de decisões de uma empresa em prospecção e vender o seu modelo de negócios pessoal para ele. Use técnicas de networking para garantir um compromisso, mas, nesta entrevista, foque nitidamente em como seu modelo pode ajudar a sua prospecção. Seu objetivo é propor trabalho para o Cliente. Se o entrevistado rejeitar sua proposta, você pode fazer o "pivô" e revisitar o seu modelo.

Aproxime-se de seu tomador de decisão através de encaminhamentos possíveis. Se os esforços com sua rede de contatos ainda não tiverem alcançado alguém que trabalhe diretamente com o seu Cliente em potencial, você deve ficar familiarizado o suficiente com o seu alvo para fazer um pouco mais de networking.

Por outro lado, aproximar-se de um tomador de decisão diretamente, sem qualquer introdução, pode ser a escolha mais poderosa, dependendo da indústria e/ou personalidades envolvidas.

Quando entrar em contato com os tomadores de decisão pode-se dizer algo como: "Acho que você tem uma significativa oportunidade de _____ e tenho algumas ideias específicas que você pode achar interessantes. Podemos nos encontrar?".

Se você seguiu os passos necessários para os testes do modelo de negócios até este ponto, é provável que você tenha uma boa acolhida.

Obter Indicações

No entanto, se você decidir se aproximar dos tomadores de decisão, essas descobertas de um estudo realizado pela Associação Nacional de Executivos de Vendas pode mudar o seu comportamento:

- 2% das vendas são feitas no primeiro contato
- 3% das vendas são feitas no segundo contato
- 5% das vendas são feitas no terceiro contato
- 10% das vendas são feitas no quarto contato
- 80% das vendas são feitas do quinto ao décimo segundo contato

Sendo assim, não desista só porque sua segunda, terceira ou quarta tentativa ficou sem resposta. A persistência leva a indicações.

Quando você encontrar o tomador de decisão, declare, em termos gerais, sua compreensão do "trabalho a ser feito" em seguida, solicite ao entrevistado validação ou correção.

Se o seu entendimento for correto, o entrevistado poderia dizer algo do tipo: "Como você recomenda que resolvamos este problema?" (É o que você quer ouvir!).

Por outro lado, se o seu entendimento não for inteiramente preciso, o entrevistado pode discorrer sobre as reais oportunidades ou problemas de sua organização. Independentemente da forma como a entrevista se desenrola atenha-se ao seu objetivo de propor um serviço.

Dependendo das circunstâncias e da formalidade da situação, você poderia fazer uma proposta verbal ou escrita para ajudar.

Se o entrevistado aceitar sua oferta de apresentar uma proposta por escrito, prometa enviar o documento em uma semana ou menos. Então agradeça o entrevistado e saia normalmente. Certifique-se de enviar um breve e-mail de "Obrigado" confirmando (1) a natureza de sua proposta, e (2) quando você vai entregá-la.

Se o entrevistado rejeitar sua oferta de serviço, é hora de se aproximar de um Cliente potencial. Se vários clientes recusarem sua oferta, pode ser hora de fazer o pivô e rever o seu modelo de negócios pessoal para melhor atender às necessidades dos Clientes potenciais.

A Proposta de Uma Página

Os tomadores de decisão amam brevidade e concisão, assim, faça a sua proposta convincente, resumindo-a em uma única página. Importante: sua página, única e concisa, da visão geral deve sinalizar uma reserva de detalhes que você pode apresentar depois, pessoalmente ou em um documento maior.[29]

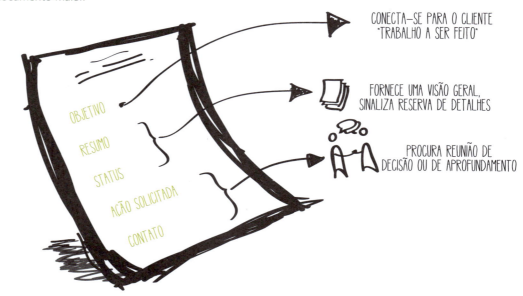

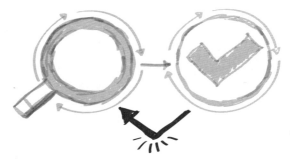

Fazendo Pivô para Melhorar Seu Modelo

Fazer pivô — uma ação que você toma em resposta ao feedback dos Clientes potenciais — significa revisitar o seu modelo e melhorá-lo, modificando um ou mais componentes. Pivô é a resposta adequada quando você descobre que o seu modelo ainda não satisfaz aos Clientes.

O pivô pode envolver encontrar um Cliente inteiramente novo, como Cyd fez (página 224). Ou, como Ken, você pode decidir alterar o seu Canal (página 67). Então, novamente, pode ser necessário repensar múltiplos componentes, do mesmo modo que Dennis fez (página 239).

Fazer o pivô volta à descoberta do cliente, onde você atualiza o seu modelo e mais uma vez começa o processo de encontrar as referências. Quando você se sentir pronto para vender seu novo modelo, passe para o Modo de Validação do Cliente e tente novamente. Seja confiante. *Você pode ter (e terá) sucesso na conquista de um Cliente.*

PONTO-CHAVE:
MODELO DE CORRESPONDÊNCIA COM O MERCADO

PERFIL:
O TÉCNICO EM INFORMÁTICA

Incomodado pelo estresse no trabalho, o técnico em computação da Dell, Dennis Shieh antecipou a aposentadoria para trabalhar de forma independente e controlar seu próprio destino.

Ele gostava de trabalhos técnicos e elaborou um modelo de negócios pessoal, baseado em compra e montagem de uma loja de informática no varejo.

Dennis testou sua ideia ao visitar um corretor de negócios, que recomendou (1) revisar a parte financeira das lojas de informática, e (2) fazer uma avaliação de personalidade.

Dennis fez as duas coisas, e aprendeu que (1) as lojas de informática são negócios de baixa margem, alto volume de operações de negócios com baixa lucratividade, e (2) ele não tinha uma personalidade de serviço ao cliente — era melhor focar nas tarefas técnicas e evitar as responsabilidades de contato com pessoas.

Então, Dennis articulou, renovou seu modelo e substituiu os consumidores por Clientes técnicos business-to-business.

Logo surgiu uma oportunidade que Dennis rejeitou no seu primeiro modelo: uma empresa que vendia, fazia a manutenção, calibragem e escalas comerciais certificadas. As necessidades da empresa iam ao encontro das competências técnicas exercidas por Dennis, minimizando o contato com clientes tecnicamente menos sofisticados, e ganhando a vida, bem independente, com o mínimo de stress.

Dennis comprou a empresa e agora felizmente gosta de trabalhar como um empresário — muitas vezes de bermuda e camiseta.

NOME: DENNIS SHIEH

Seção 4 página 240

CONFIANÇA PARA ENFRENTAR O FUTURO

Quando um cliente o contrata — ou você encontra o Cliente que deseja — acaba validando o seu modelo de negócios pessoal. Agora você chegou à fase de execução e seu novo modelo de negócios pegou impulso. Muito bem!

Você percorreu um longo caminho. Se você já fez alguns dos exercícios do livro ou trabalhou em todos eles, esperamos que você continue trabalhando no seu modelo. No mínimo, esperamos que você tenha adotado a abordagem de *modelagem* ao invés de *planejar* a sua vida profissional — identificar o núcleo dos princípios operacionais que servirão como guias duradouros.

Você deve ter notado que um modelo de negócios pessoal é, em certo sentido, um "mapa" de relacionamentos. "Isso mostra como **Quem É Você** se relaciona com **O que Você Faz**, e como **O que Você Faz** se relaciona com **Como Você os Ajuda**. O mais importante, ele articula sua relação com **Quem Você Ajuda** —, bem como você serve com o seu **Propósito** às comunidades maiores.

Assim como um bom mapa guia os exploradores pelos próximos anos, a metodologia do modelo de negócios pessoal pode servir como um padrão que pode ser repetido para o trabalho/vida de sucesso.

CAPÍTULO 10
E Agora?

Mais Formas de Aplicar a Metodologia do BMY

A mudança de carreira às vezes é involuntária. Quando uma organização modifica seu modelo de negócios, os funcionários muitas vezes precisam ajustar seus modelos de negócios pessoais também. Caso em questão: o membro do Fórum, Makis Malioris.

Um gerente de programadores e analistas de longa data em uma grande empresa internacional de serviços financeiros, Makis, servia a apenas um cliente: o chefe de seu escritório, em Atenas. Mas a oportunidade de mudar a carreira surgiu quando Makis foi chamado para servir a oito novas localidades, todas fora da Grécia — o que significaria viagens aéreas extensas e frequentes. Makis se esforçou para dominar seu primeiro pensamento: *tenho medo de voar.*

A nova posição de Makis o obrigou a reinventar seu modelo de negócios pessoal. Embora tivesse pouca experiência intercultural, ele imediatamente adquiriu oito novos Clientes internacionais, todos em diferentes países, com culturas de trabalho, estilos e éticas diferentes.

Competente e confortável em planejamento e coordenação do trabalho dos colegas mais próximos, Makis agora tinha que convencer novos Clientes a adotar e manter os processos da Information Technology Infrastructure Library (ITIL). Isso exigiu novas Atividades-Chave, incluindo "vender", voos constantes, longas estadias em hotéis e substituição do Relacionamento cara a cara com os Clientes para mensagens de e-mail e pelo telefone.

A nova posição ofereceu um aumento modesto nas Fontes de Receita, mas Benefícios enormes de desenvolvimento profissional. O maior, diz Makis, foi a exposição internacional — e a oportunidade de servir como um proprietário do "processo" em vez de ser simplesmente um gestor. Ele foi bem-sucedido em seu novo papel e avançou para uma posição ainda mais responsável.

Infelizmente, a crise financeira grega interveio e obrigou o empregador a oferecer a Makis um pacote de demissão, que ele aceitou. Mas as lições do modelo de negócios que ele aprendeu ainda continuam a servi-lo.

Disse Markis: "O conceito de modelo de negócios pessoal me ajudou a identificar o que eu precisava para preencher os requisitos do meu novo papel, assim como preencher completamente as lacunas de cada componente do Canvas. Era uma situação exigente, mas valeu a pena. Não só isso — não tenho mais medo de voar.".

Como Makis concordaria (e conforme discutido no Capítulo 1), a inovação do modelo de negócios — organizacional e pessoal — nunca é interrompida. Modelos funcionam por anos, ou às vezes mais, até que a mudança é exigida. Seu modelo de negócios pessoal certamente vai evoluir de novo, se não em resposta a tempos em mudança, pelo menos, em resposta a maior experiência que você obtiver com o passar dos anos. Quando chega a hora de você ter uma nova imagem do seu trabalho, espero que você ache o *Business Model You – O Modelo de Negócios Pessoal* esclarecedor e inspirador, mais uma vez.

Aqui estão outras maneiras de aplicar a metodologia do **Business Model You – O Modelo de Negócios Pessoal:**

Cursos Básico de Negócios e Finanças Pessoais

Instrutores de finanças pessoais do mundo inteiro estão usando o Canvas do Modelo de Negócios para ensinar estratégia, empreendedorismo e design, principalmente em Programas de Pós-Graduação em Administração. Acreditamos que o Canvas é uma ferramenta ideal para o ensino de noções básicas de negócios em programas de graduação também. É uma maneira clara e compreensível de aprender os fundamentos de montar uma empresa. Do mesmo modo, acreditamos que o Canvas do Modelo de Negócios Pessoal pode ser uma ferramenta poderosa para ensino profissional e/ou pessoal de fundamentos financeiros para estudantes do ensino médio.

Ferramenta de Aconselhamento de Carreira

Muitos de nossos membros do Fórum já descobriram o poder do modelo de negócios pessoal como uma ferramenta de coaching. Alguns dos perfis apresentados no *Business Model You – O Modelo de Negócios Pessoal* são exemplos vivos de seu trabalho.

Ferramenta de Aconselhamento Individual

A Página 96 discute a criação de Canvas para descrever os papéis não trabalhistas da vida, como cônjuge, amigo e pai. Um número de membros do fórum têm relatado sucesso usando o Canvas desse modo. Conselheiros profissionais podem ser capazes de desenvolver poderosos exercícios para os Clientes com base no desenho e análise de tais Canvas verdadeiramente pessoais.

As Revisões Anuais/Desenvolvimento Pessoal nas Organizações

Para os diretores de pessoal realizarem revisões anuais, o modelo de negócios pessoal pode fornecer uma forma estruturada de examinar como os funcionários adicionam Valor à organização. Empresas visionárias podem estender o uso dos Canvas pessoais para ajudar funcionários a criar mais Valor em seus trabalhos fora do expediente.

página **247** **Agir**

Software de Suporte para Modelos de Negócios Pessoais

Trabalhar com papel, cartazes, marcadores e lembretes autoadesivos é poderoso e divertido, mas, às vezes, um pouco de suporte de um software pode levá-lo a um nível inteiramente novo. Com a Business Model Toolbox para iPad e web, você pode esboçar, estimar, anotar, compartilhar, colaborar, interagir e planejar todos os seus modelos de negócio. Com a Toolbox você obtém a velocidade de um esboço num guardanapo e a inteligência de uma planilha em uma coisa só.

A Toolbox também permite que os usuários modifiquem a classificação dos componentes e de seu conteúdo para acomodar a descrição dos modelos de negócios pessoais. Um aplicativo dedicado ao modelo de negócios pessoal capaz de oferecer versões eletrônicas das ferramentas deste livro para ajudar os usuários a avaliar seus interesses, aptidões e habilidades, e tendências de personalidade (Recursos Principais).

Obtenha sua conta gratuita e construa o seu modelo de negócios pessoal online em www.businessmodeltoolbox.com (Conteúdo disponível em inglês).

Finalmente, aceitem nossas desculpas por aquilo que, em retrospectiva, pode parecer como uma legenda enganosa. Se você já passou por uma gama dos exercícios apresentados no *Business Model You – O Modelo de Negócios Pessoal*, você já usou dezenas de folhas de papel aplicando nosso "método de uma página". Mas você não concorda que os resultados têm sido notáveis?

Uma palavra final: a conversa continua em **BusinessModelYou.com**, onde o nosso livro começou e no **BusinessModelHub.com**, a comunidade líder mundial dedicada à inovação em modelo de negócios. Considere juntar-se a nós nos dois sites.

Extras

Leia mais sobre as pessoas e os recursos por trás do
Business Model You – O Modelo de Negócios Pessoal.

Seção 5 página 252

A Comunidade
Business Model You

Este livro foi cocriado por 328 profissionais da Argentina, Austrália, Áustria, Bélgica, Brasil, Canadá, Chile, China, Colômbia, Costa Rica, Dinamarca, Estônia, Finlândia, França, Alemanha, Grécia, Hungria, Irlanda, Itália, Japão, Jordânia, Coreia do Sul, México, Nova Zelândia, Nigéria, Noruega, Panamá, Paraguai, Polônia, Portugal, Romênia, Singapura, África do Sul, Espanha, Suécia, Suíça, República Tcheca, Holanda, Turquia, Reino Unido, Estados Unidos, Uruguai e Venezuela. Sua visão, apoio e perspectivas globais fazem o movimento do modelo de negócios pessoal decolar.

A lista completa dos cocriadores aparece nas páginas 8-9 (algumas das suas fotografias aparecem nas capas internas, em nenhuma ordem particular). Gostaríamos de agradecer em especial aos seguintes cocriadores que fizeram contribuições particularmente significativas para o livro:

Jelle Bartels, Uta Boesch, Steve Brooks, Ernst Buise, Hank Byington, Dave Crowther, Michael Estabrook, Bob Fariss, Sean Harry, Bruce Hazen, Tania Hess, Mike Lachapelle, Vicki Lind, Fran Moga, Mark Nieuwenhuizen, Gary Percy, Marieke Post, Darcy Robles, Denise Taylor, Laurence Kuek Swee Seng, Emmanuel Simon e James Wylie.

No **BusinessModelYou.com** você encontra fóruns de discussão, Canvas para impressão, e, o mais importante, uma comunidade de amigos de mais de 2.400 leitores entusiastas do modelo de negócios pessoal, representando 50 países. A adesão é gratuita.

E, por favor, considere juntar-se ao **BusinessModelHub.com**. Com mais de 8 mil membros, é a comunidade online líder do mundo dedicada ao pensamento do modelo de negócios organizacional. Como já destacado, a adesão é gratuita.

Seção 5 página 254

Biografias dos Criadores

Tim Clark, Autor

Tim Clark lidera o movimento do modelo de negócios pessoal em *BusinessModelYou*.com. Um talentoso professor/treinador e um ex-empresário que recorre a sua experiência pessoal com aquisições multimilionárias e falhas semelhantes, Clark foi o autor ou editor de cinco livros editados sobre empreendedorismo, modelos de negócios e desenvolvimento pessoal, incluindo o best-seller *Business Model Generation – Inovação em Modelos de Negócios (Alta Books, 2011)*. Ele possui MBA e doutorado e é, atualmente, professor de Negócios na Universidade de Tsukuba, em Tóquio.

TimClark.net
Alex Osterwalder, Autor Colaborador

Alexander Osterwalder é um empreendedor, palestrante, e principal autor do best-seller mundial *Business Model Generation – Inovação em Modelos de Negócios*, em coautoria com o professor Yves Pigneur com contribuições de 470 colaboradores em 45 países. Alexandre fala com frequência para Clientes da Fortune 500 e tem sido convidado para palestras em universidades como Wharton, Stanford, Berkeley, IESE e IMD. Ele é PhD pela HEC Lausanne e cofundador da empresa de software Strategyzer and The Constellation, uma organização sem fins lucrativos dedicada à eliminação do HIV/AIDS e da malária no mundo.

BusinessModelGeneration.com
Yves Pigneur, Autor Colaborador

Dr. Yves Pigneur atua como professor de Sistemas de Informações Gerenciais da Universidade de Lausanne, desde 1984, e como professor visitante na Georgia State University, Hong Kong University of Science and Technology e da University of British Columbia. Ele é editor-chefe do jornal acadêmico *Systèmes d'Information and Management (SIM)* e, juntamente com Alexander Osterwalder é autor do best-seller internacional *Business Model Generation — Inovação em Modelos de Negócios*. Obteve seu doutorado na Universidade de Namur, na Bélgica.

Megan Lacey, Editora

Campeã da linguagem e evangelista de corrida, Megan juntou-se à equipe do *Business Model You*, enquanto reinventava sua carreira. Depois de servir por vários anos em uma editora, uma passagem curta, mas gloriosa como instrutora de redação em uma faculdade a convenceu a prosseguir a busca por mais credenciais de ensino. Megan concluiu seu Mestrado em Ensino na Washington State University, completou sua terceira maratona e em breve lecionará em uma escola inglesa de nível médio.

Alan Smith, Diretor de Criação

Alan é um empreendedor com treinamento em design, que cresceu para cinema, televisão, campanhas impressas, desenvolvimento, aplicativos móveis e web plataformas multibilionárias. Depois de se formar no York Sheridan Joint Program in Design, ajudou a fundar a The Movement, crescendo para uma celebrada "agência de mudança" com escritórios em Toronto, Londres e Genebra. Desde então, ele ajudou a fundar Strategyzer, um empresa de software que constrói ferramentas inovadoras e práticas para ajudar as pessoas e organizações a gerenciar a estratégia e gerar crescimento.
BusinessModelGeneration.com

Trish Papadakos, Designer

Trish é comprometida com uma vida de criação visual desde o primeiro dia em que ela colocou um lápis no papel. Após estudos em três instituições importantes de arte e design no Canadá, ela terminou seu mestrado em Design, em Londres, Inglaterra, em seguida fundou o Institute of You, um serviço de crescimento vocacional por assinatura para profissionais inquietos. Uma ávida foodie, fotógrafa, viajante e empreendedora, Trish passou anos colaborando com artesãos, cozinheiros e líderes.
flavors.me/trishpapadakos

Patrick van der Pijl, Assistente de Produção

Patrick é o fundador e CEO da Business Model Inc., uma consultoria de modelo de negócios internacional com sede em Amsterdã. Ele ajuda os empresários, executivos sênior e suas equipes a projetarem melhores negócios, usando visualização, story telling, e outras técnicas de modelagem de negócios. Patrick atuou como produtor do best-seller internacional *Business Model Generation — Inovação em Modelos de Negócios*.
BusinessModelsInc.com

Seção 5 página 256

Notas

1 — **Página 6** Todos àqueles retratados em *Business Model You* foram entrevistados por um autor ou coautor. Em alguns casos, seus nomes e/ou imagens foram alterados por razões de privacidade.

2 — **Página 20** Manpower Group Survey, November 2010.

3 — **Página 21** Alexander Osterwalder e Yves Pigneur, *Business Model Generation – Inovação em Modelos de Negócios,* Alta Books, 2011.

Página 67 Foto por David White.

4 — **Página 51** "Revenue at Craigslist Is Said to Top $100 Million" *The New York Times*, 6/9/2009.

5 — **Página 85** Richard N. Bolles, *What Color Is Your Parachute?* Ten Speed Press, 2011.

6 — **Página 88** Marcus Buckingham, *Go Put Your Strengths to Work,* Free Press, 2007.

7 — **Página 90** Tom Rath, *Strengthsfinder 2.0*, Gallup Press, 2007.

8 — **Página 91** George Kinder, *Lighting the Torch: The Kinder Method™ of Life Planning*, FPA Press, 2006.

9 — **Página 93** Reproduzido com permissão de Richard N. Bolles, *What Color Is Your Parachute?* Ten Speed Press, 2011, p. 181.

10 — **Página 99** Kathy Kolbe postula o quarto fator: a vontade ("conation"). Seu Índice de Kolby é utilizado por muitas organizações.

11 — **Página 109** Este exercício foi adaptado de John L. Holland's *Making Vocational Choices: A Theory of Careers*, Prentice-Hall, 1973, com a ajuda da psicóloga Denise Taylor e Dr. Sean Harry, ambos membros do Fórum.

12 — **Página 109** John L. Holland, *Manual for the Vocational Preference Inventory*.

página 257 **Extras**

13 — **Página 109** Estritamente falando, a Teoria de Holland permite 720 (6 x 5 x 4 x 3 x 2 x 1) "tipos" únicos de personalidade.

14 — **Página 121** Outras formas de obter feedback similar incluem contratação de um conselheiro vocacional e usando um serviço online, como Checkster.com. Especial agradecimento a membro do Fórum Denise Taylor por sua ajuda com estes exercícios.

15 — **Página 126** Alain de Botton, *The Pleasures and Sorrows of Work*, Pantheon, 2009.

16 — **Página 126** Ibid,

17 — **Página 128** Leil Lowndes, *How to Talk to Anyone*, McGraw-Hill, 2003.

18 — **Página 140** Adaptado com permissão de David Sibbet, *Reuniões Visuais*, Alta Books, 2013.

19 — **Página 153** Carmine Gallo, *The Innovation Secrets of Steve Jobs: Insanely Different Principles for Breakthrough Success*, McGraw-Hill, 2010.

20 — **Página 153** tradução para Inglês por Allen Miner.

21 — **Página 163** Apresentação de Srikumar Rao no Google, 11 de abril de 2008, reproduzido com permissão.

Página 160 Foto de Srikumar Rao por Paresh Gandhi.

22 — **Página 166** Srikumar Rao, *Are You Ready to Succeed?*, Hyperion, 2006.

23 — **Página 168** Rosamund Stone Zander e Benjamin Zander, *The Art of Possibility*, Harvard Business School Press, 2000.

24 — **Página 170** Ibid.

25 — **Página 173** Alexander Osterwalder e Yves Pigneur, *Business Model Generation – Inovação em Modelos de Negócios,* Alta Books, 2011.

26 — **Página 176** Ellen McGirt, "Al Gore's $100 Million Makeover", *Fast Company*, 01 de julho de 2007.

Página 176 Foto de Al Gore da Equipe do World Resources Institute.

Página 196 Foto de J.D. Roth por Amy Jo Woodruff.

27 — **Página 211** Emily é uma pessoa real com um nome diferente.

28 — **Página 225** Veja o *The Four Steps of Epiphany* de Steven Blank para um tratamento integral de seu Modelo de Desenvolvimento do Cliente.

29 — **Página 237** Preparando uma proposta de uma página eficaz requer esforço significativo e vai além do âmbito deste livro — veja a Proposta de *Uma Página de Patrick Riley* para direcionamento detalhado.

ANOTAÇÕES:

"O ambiente digital demanda uma nova forma de olhar os negócios de mídia. O BMG é a ferramenta que escolhemos para nos ajudar a navegar melhor nesse mundo convergente."

– Jorge Nóbrega, diretor-geral de Gestão Corporativa das Organizações Globo.

"Um livro inovador na sua criação, no conteúdo e de leitura fascinante. Destinado a quem se propõe a criar negócios e pessoas em permanente busca de algo mais no mundo empresarial."

– Marcelo Chamma, diretor da Votorantim Cimentos.

"...um compêndio impressionante e abrangente de muitas das ideias mais atuais sobre estrutura e desenvolvimento das empresas."

– Anglohigher.com

ALTA BOOKS
EDITORA

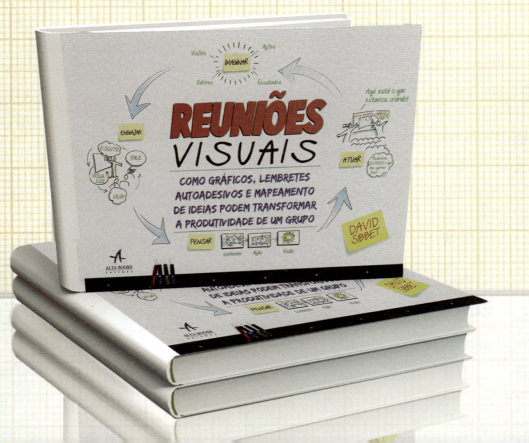

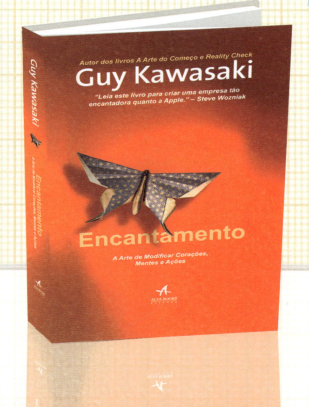